adomania 2

Méthode de français

Cahier d'activités

Fabienne Gallon • Céline Himber • Alice Reboul

hachette
FRANÇAIS LANGUE ÉTRANGÈRE

www.hachettefle.fr

Crédits iconographiques

Photo de couverture : Shutterstock.

Étape 1 **p. 8** © **The Sheepest.** Étape 3 **p. 24** Affiche Fajet © **RADIO FAJET** – Affiche © **LES RESTOS DU CŒUR** – Affiche © **Entraide Scolaire Amicale.** Étape 5 **p. 35** les Simpsons © Phil Stafford / **Shutterstock**.com ; **p. 40** Catherine Destivelle © René ROBERT / **GAMMA-RAPHO** ; Jacques Cartier © **Photothèque Hachette** ; Philippe Petit © Patrick Piel / **GAMMA-RAPHO** ; **p. 42** Jean Dujardin © BEBERT BRUNO / **SIPA**, affiche *OSS 117* © RONALD GRANT / MARY EVANS / **SIPA** ; Première *The Artist* © COLDREY / BABIRAD / **SIPA**. Étape 6 **p. 46** le Jardin de Némo et les biosphères immergées en mer © OLIVIER MORIN / **AFP**. Étape 7 **p. 56** *Le Petit Poucet* © Collection Dupondt / **AKG Images** ; Couverture du livre *Peau d'Âne*, conte de Charles Perrault, imprimerie Brodard Montpellier © **Rue des Archives.** Étape 8 **p. 64** logo et photo du Futuroscope © Brune / **CALUNE Prod** / **AEROPHILE** / D LAMING, Architecte / Futuroscope. DNL **p. 68** Affiche *Unie dans la diversité* et Logo Fête de l'Europe © **europa.eu** ; **p. 72** a. Photorama musée Lumière – **Collection Institut Lumière** b. Madeleine et Andrée, nièce et fille d'Auguste Lumière, en 1910 – Plaque Autochrome Lumière 18 x 24 cm © **Institut Lumière** / Famille Lumière ; c. Photogramme film Lumière n° 91 – Sortie d'usine, I – 1895 © **Institut Lumière** ; d. Publicité pour le cinématographe Lumière : projection du film L'Arroseur arrosé de Louis Lumière 1895 © **Rue des Archives / RDA** ; **p. 72** Le fardier à vapeur de Cugnot © Granger NYC / **Rue des Archives** ; Vol de montgolfière, 1783 © **Rue des Archives / RDA** ; Paul Cornu dans son hélicoptère en 1907 © Mary Evans / **Rue des Archives**

Autres photos : Shutterstock.

Nous avons fait notre possible pour obtenir les autorisations de reproduction des documents publiés dans cet ouvrage. Dans le cas où des omissions ou des erreurs se seraient glissées dans nos références, nous y remédierons dans les éditions à venir.

Couverture : Nicolas Piroux
Conception graphique : Anne-Danielle Naname – Barbara Caudrelier
Mise en pages : Valérie Goussot
Secrétariat d'édition : Sarah Billecocq
Illustrations : Aurélien Heckler et Gabriel Rebufello (p. 5, 10, 16, 68, 73)
Enregistrements : Studio Quali'sons
Maîtrise d'œuvre : Joëlle Bonenfant

ISBN 978-2-01-401525-6
© HACHETTE LIVRE, 2016
58, rue Jean Bleuzen, CS 70007, 92178 Vanves Cedex, France.

http://www.hachettefle.fr

Parlons de nos déplacements en ville

ÉCOUTER

1 🔒① **Écoute et relie les ados aux transports et aux lieux.**

1 le bus	2 le collège	3 la voiture	4 le métro

5 le musée	6 le stade	7 le tramway

8 la trottinette	9 le vélo	10 la ville

VOCABULAIRE

2 Les transports en ville. **Comment se déplace chaque personne ?** (Attention aux prépositions *en* ou *à* !)

a Léna se déplace	b Théo se déplace	c Cora se déplace	d Arthur se déplace
....	....	....	....

3 La sécurité. **Remets dans l'ordre les lettres des mots suivants. Complète les phrases avec les mots.**

ovie   trev   tipes balyccel   rittorto   efu

a Je ne marche pas sur la ....
.... : elle est réservée aux vélos !

b Je fais attention pour traverser la .... du tramway.

c Je m'arrête quand le .... est rouge et je passe quand il est ....

d À trottinette, je roule sur le .... et pas sur la route : c'est dangereux !

PRONONCER

4 💿② L'accentuation en fin de mot. **Écoute et récite. Accentue les syllabes soulignées.**

Vive les trans<u>ports</u> en com<u>mun</u>,
Pour circu<u>ler</u>, c'est très <u>bien</u> !
On veut a<u>ller</u> au mu<u>sée</u> ?
A<u>lors</u>, pre<u>nons</u> le tram<u>way</u> !

En mé<u>tro</u>, c'est ri<u>golo</u>,
À vé<u>lo</u>, c'est éco<u>lo</u> !
Mais on s'a<u>rrête</u> au feu <u>rouge</u>,
Et atten<u>tion</u> si on <u>bouge</u> !

Suivons un itinéraire en ville

Le verbe *prendre*

1 🔊 3 Complète les phrases avec le verbe *prendre*. Écoute pour vérifier.

a Vous .... un plan ?

b Je .... quelle rue ?

c Tu .... à gauche, puis à droite.

d Nous .... le bus ou le métro ?

e Chloé et Corentin .... des photos.

f On .... le pont ?

PHONÉTIQUE La prononciation du verbe *prendre*

2 🔊 4 Écoute les différentes prononciations et classe les formes du verbe *prendre* (exercice 1) dans le tableau.

[ã] comme dans *déplacement*, *grand*...	[ən] comme dans *venir*, *Genève*...	[ɛn] comme dans *parisienne*, *Seine*...
....	....	....
....	....	....

Les lieux de la ville

3 Trouve les noms de lieux de la ville et complète la grille.

1 une ....

2 une ....

3 un ....

4 une ....

5 un ....

6 un ....

7 un ....

8 un ....

Indiquer un itinéraire

4 À l'aide du plan et des mots suivants, complète l'itinéraire pour aller du point A au point B.

à droite   à gauche   continues   prends   sur   traverses

Tu .... le pont du Faisan et tu .... la rue des Moulins.

Ensuite, tu tournes .... et tu traverses la place des Moulins.

Tu tournes .... et tu prends le quai Finkwiller. Tu ....

tout droit et tu arrives .... la place Saint-Louis.

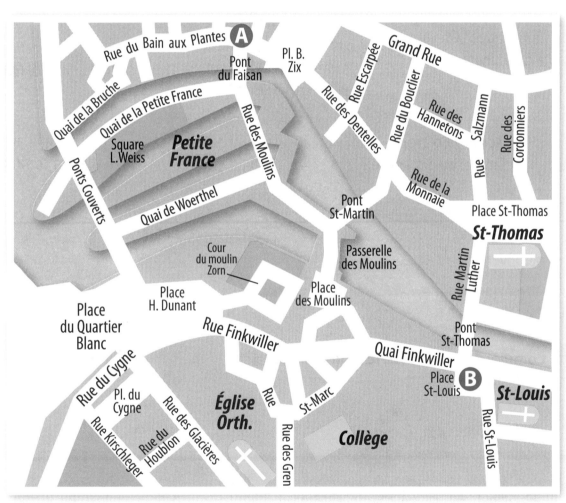

5 Écoute et indique sur le plan (exercice 4) :

a où est la personne.   b par où elle passe.   c où elle va.

....

....

....

Organisons une sortie

Organiser une sortie

1 Reconstitue trois conversations avec les messages suivants.

a Vous voulez aller voir un film, cet après-midi ?

b Jules Moi, je ne peux pas ce week-end !

c Jade D'accord ! On va faire les magasins ?

d Emma Bonne idée ! On va à quel cinéma ?

e Salut les amis ! J'ai envie d'aller à la piscine ce week-end. Qui veut venir avec moi ?

f Léo OK. Quel film ?

g Alex Moi, je veux bien ! Samedi ou dimanche ?

h Tu veux venir avec moi au centre commercial ?

- Conversation 1 ....
- Conversation 2 ....
- Conversation 3 ....

Le verbe *vouloir*

2 Complète la grille avec les formes correctes du verbe *vouloir*.

Nous
v

Je/Tu
v

Ils/Elles
v

Vous >

Il/Elle/On >

Les prépositions de lieu

3 **Complète les phrases, si nécessaire.**

a Tu es loin .... magasin de chaussures ?

b Je suis en face .... boulangerie.

c Tu es dans .... librairie ?

d L'entrée du magasin est derrière .... nous.

e Le magasin de chaussures est près .... restaurant ?

f On se retrouve devant .... cinéma.

g Le café est entre .... supermarché et .... piscine.

Le centre commercial

4 **Dans quel lieu du centre commercial, tu peux…**

a acheter un livre ? > dans ....

b acheter un pantalon ? > dans ....

c manger ? > dans ....

d acheter un croissant ? > dans ....

e acheter des fruits ? > dans ....

f regarder un film ? > dans ....

g prendre un chocolat chaud ? > dans ....

h te baigner ? > dans ....

i acheter des baskets ? > dans ....

CULTURES

The Sheepest est un artiste de rue grenoblois. Il colle ou peint des moutons dans les rues, en France : à Grenoble, Paris, Bordeaux ou Lyon... mais aussi à New York, Londres, Berlin...

Observe les photos et trouve les moutons. Utilise les mots suivants pour expliquer où ils se trouvent.

à côté de   route   dans

entre   fenêtres   immeuble   pont   sous   voie de train

sur   rue Cité d'Angoulême

a Le mouton est

....

....

b Le mouton est

....

....

c Le mouton est

....

....

d Le mouton est

....

....

Écrire

➮ **Propose une sortie (au cinéma, au centre commercial, etc.) à des amis.**

Indique les transports et l'itinéraire pour y aller.

De : ....
À : ....
Objet : ....

....
....
....

astuce

– Vous voulez aller au cinéma ?

– Non, je ne peux pas sortir.

Le deuxième verbe est à l'infinitif.

Autoévaluation

Parler de ses déplacements en ville

1 ... /3

Coche les moyens de transport que tu peux utiliser dans les situations suivantes.

a Tu fais une promenade dans un jardin public. Tu te déplaces…

☐ en métro. ☐ à vélo. ☐ en tramway.

b Tu utilises seulement les transports en commun. Tu prends…

☐ ta trottinette. ☐ ton vélo. ☐ le bus.

c Avec tes parents, vous allez au stade, à 15 km de chez vous. Vous vous déplacez…

☐ à pied. ☐ en voiture. ☐ à trottinette.

2 ... /2

Relie pour former des titres d'affiches.

a Je ne marche pas sur la piste cyclable : 1 je circule sur le trottoir !

b Je fais attention pour traverser la voie de tramway : 2 on s'arrête !

c Au feu rouge : 3 elle est pour les vélos !

d À trottinette, 4 je regarde à gauche, puis à droite !

Suivre un itinéraire en ville

3 🎧6 ... /6

Écoute et coche. Justifie tes réponses.

a Jade et Noah participent à un concours de mur végétal. ☐ vrai ☐ faux

....

b Le concours est au centre commercial. ☐ vrai ☐ faux

....

c Pour aller au concours, Jade circule en métro et à pied. ☐ vrai ☐ faux

....

d Jade s'arrête place de la République. ☐ vrai ☐ faux

....

e Jade prend la rue Lepic et tourne à droite dans la rue de la Concorde. ☐ vrai ☐ faux

....

f Elle continue tout droit dans la rue de la Concorde et
elle arrive au centre commercial. ☐ vrai ☐ faux

....

Organiser une sortie

4 .... /4

Observe le plan du centre commercial et entoure la ou les bonne(s) réponse(s).

a Le cinéma est *loin – près – en face* de
la salle de sport.

b La librairie est *derrière le – en face du –
près du* magasin de chaussures.

c Le supermarché est *entre – derrière –
devant* le cinéma et le restaurant.

d Le magasin de chaussures est à *droite de –
loin de – entre* l'entrée C.

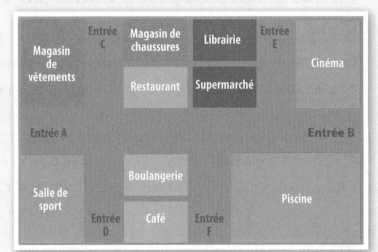

5 .... /5

Complète les propositions de sorties et les réponses avec les mots suivants.

envie

veut

veux

voulez

idée

a Salut, je vais au musée avec mes
parents. Tu veux venir avec nous ?

Oui, je ....
bien !

b Coucou ! Je vais à la piscine avec Luce
et Titouan. Qui .... venir ?

Moi, je n'ai pas ....
Et puis j'ai des devoirs !

c Salut les copains ! Vous ....
manger une glace en ville cet après-midi ?

D'accord ! Bonne
.... !

Vérifie tes résultats p. 77. .... /20

APPRENDRE À APPRENDRE

Entoure ou complète.

a En classe, je préfère être *près – loin* du tableau.

b Je préfère être à côté de .... en classe.

c Je préfère quand les tables sont *en U* – *en ligne* – *en îlots* .

d Pour travailler en groupe, j'aime bien être avec .... et ....

e Pour participer en classe, c'est plus facile pour moi de :

venir écrire au tableau   lever la main pour parler   faire des activités de groupe

 Pour bien apprendre : trouve ta place dans la classe !

LEÇON 1

Parlons de nos habitudes alimentaires

LIRE

1 Lis le test et associe chaque partie à un repas.

Le dîner : ...   Le déjeuner : ...   Le petit-déjeuner : ...   Le goûter : ...

TEST — Tu manges bien ?

1 Ton aliment et ta boisson préférés le matin sont :
- ◉ le pain et le jus de fruits.
- ◈ les œufs et le lait.
- ✱ une pomme et de l'eau.

2 À la cantine, ce midi, il y a de la viande et des légumes.
- ◈ Tu prends deux fois de la viande, pas de légumes.
- ✱ Tu manges les légumes, tu n'aimes pas la viande !
- ◉ Tu manges la viande et les légumes.

3 À 16 heures...
- ◉ Tu prends un fruit ou un yaourt.
- ◈ Tu veux un produit sucré ! Un chocolat, par exemple !
- ✱ Tu ne manges pas.

4 Le soir, à table...
- ✱ Tu ne prends pas d'entrée et pas de dessert.
- ◉ Tu aimes manger un repas complet.
- ◈ Tu prends deux desserts.

2 Associe les résultats du test à un symbole. Puis fais le test pour toi et entoure le résultat qui te correspond.

Résultats

Tu manges de tout et régulièrement, tu as une bonne alimentation !   ● ● ◈

Tu ne manges pas beaucoup pour un(e) ado !   ● ● ◉

Tu n'es pas copain avec les fruits et les légumes, mais tu aimes beaucoup le sucre ! Fais attention !   ● ● ✱

VOCABULAIRE

3 Les aliments et les boissons.
Observe les aliments et classe-les dans le tableau.

Les fruits	Les légumes	Les céréales	Les produits laitiers	Les boissons
L'orange	....	....	....	....
....	....	....	....	....

PRONONCER

4 🔊 **Les sons [w] et [ɥ].** Écoute et récite.

Louis prépare le soir dans le noir
Une grande boisson froide à boire
Et puis du poisson cuit trois fois ;
C'est pas pour toi, c'est pour Éloi !

Éloi, la nuit, dans la cuisine
Utilise l'huile et la farine,
Coupe huit biscuits et trois fruits ;
C'est pas pour lui, mais c'est pour Louis !

Préparons un anniversaire

Les verbes en *-ger*

1 Complète les verbes.

a Noémie et moi partag........... notre goûter.

b Nous interrog........... nos amis pour avoir des idées d'anniversaire sympa.

c Ma sœur et moi ne mang........... pas de chocolat !

d Nous rang........... notre chambre parce que la fête va commencer !

e Nous ne chang........... pas la date de la fête ?

Les articles partitifs / Les ingrédients

2 Regarde les photos et complète avec les ingrédients nécessaires pour faire ce gâteau. Utilise des articles partitifs.

Dans ce gâteau, il y a : ....
....
....

3 Complète avec *le*, *la*, *les*, *l'*, *du*, *de la*, *de l'*, *des*, *de* ou *d'*.

a Tu aimes ……. bonbons ?

Oui, je mange ……. bonbons tous les jours !

b Je ne prends pas ……. lait au petit-déjeuner !

Ah bon ? Tu n'aimes pas ……. lait ?

c Tu préfères ……. eau ou ……. jus de fruits ?

Je bois ……. eau à chaque repas et ……. jus de fruits le matin.

d Tu manges ……. viande tous les jours ?

Non, je déteste ……. viande !

e ……. oranges, c'est bon au petit-déjeuner !

Oui, mais moi, je ne mange pas ……. oranges ; je préfère ……. pommes !

Exprimer une quantité

4 Choisis un élément de chaque catégorie. Puis complète et relie au dessin.

paquet   tablette   bouteille   morceau   1 litre   250 grammes   1 kilo

jus d'orange   gâteaux   tomates   chocolat   fromage   beurre   huile

a un litre de jus d'orange

b …………………………
…………………………

c …………………………
…………………………

d …………………………
…………………………

e …………………………
…………………………

f …………………………
…………………………

g …………………………
…………………………

13

Interrogeons-nous sur notre alimentation

Poser une question sur la quantité

1 Lis les réponses et pose les questions avec *combien*.

a ....
....

Il y a trois œufs dans ce gâteau.

b ....
....

J'achète deux paquets de pâtes.

c ....
....

Nous prenons quatre repas par jour.

d ....
....

Ils mangent deux ou trois produits laitiers par jour.

e ....
....

Tu peux manger un ou deux bonbons par semaine.

Les adverbes de quantité

2 Observe les quatre repas de cet ado et complète les conseils avec *un peu de/d'*, *trop de/d'*, *beaucoup de/d'*, *(pas) assez de/d'*. (Il y a plusieurs possibilités.)

a Petit-déjeuner

b Déjeuner

Tu manges .... fruits et de
légumes, mais .... hamburgers
et .... matières grasses !

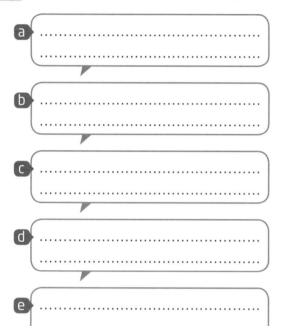

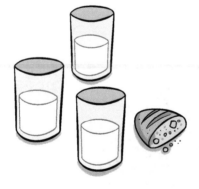

Tu bois .... lait et
tu ne manges .... pain !

c Goûter

d Dîner

Tu manges .... légumes et de céréales, c'est bien ! Mais attention, tu bois .... boissons sucrées et .... eau !

Tu manges .... produits laitiers mais .... bonbons !

PHONÉTIQUE La prononciation du *h* : *h* muet / *h* aspiré

3 Lis les phrases et entoure les *h* aspirés **en bleu** et les *h* muets **en vert**. Puis écoute pour vérifier.

a Il y a combien de gâteaux dans le paquet ? **Huit** ?

b C'est l'**heure** du repas !

c Les **hamburgers** de ce fast-food sont délicieux !

d Elle adore les **haricots** verts.

e Il y a de l'**huile** dans la salade.

Exprimer la fréquence (2)

4 Écoute et associe.

a Valentine			des hamburgers.
b Thomas		toujours	de viande.
c Anna	mange	souvent	des fruits au petit-déjeuner.
d Lucien	ne mange	parfois	des légumes le soir.
e Lila		jamais	de bonbons.
f Adrien			à la cantine le midi.

CULTURES

Relie les bonbons aux textes. Puis complète la carte avec un nom de ville ou de région.

1 Les couleurs des berlingots de Carpentras indiquent des goûts différents : vert pour la pomme, orange pour l'orange, etc.

2 Les violettes de Toulouse ne sont pas des bonbons aux fruits, mais des bonbons aux fleurs de la même couleur !

3 Les ingrédients des caramels au beurre salé de Bretagne ? Du beurre, du sel et du sucre !

4 Les papillotes sont une spécialité de Lyon. On mange ces bonbons au chocolat à Noël.

5 Les bêtises de Cambrai sont à la menthe ou aux fruits, et au sucre caramélisé. C'est une tradition du nord de la France.

Écrire

↳ **Participe au forum.**

http://blogperso.fr

Liamiam — Bonjour à tous ! Qu'est-ce qu'on peut boire ou manger pour être en bonne santé ?

....
....
....
....

astuce

L'eau, c'est bon pour la santé ! Bois de l'eau tous les jours !
Un litre d'eau par jour, c'est bien !

L'article défini exprime une généralité.

La préposition de/d' accompagne une expression de quantité.

L'article partitif exprime une quantité non déterminée.

Autoévaluation

Parler de ses habitudes alimentaires

1 🔊10 ..../4

Écoute ces ados et relie les éléments.

Une fois par semaine

Une fois par jour

À chaque repas

Deux fois par jour

Préparer un anniversaire

2 ..../3

Complète la conversation avec les mots suivants.

du

des

paquet de

bouteille de

tablette de

le

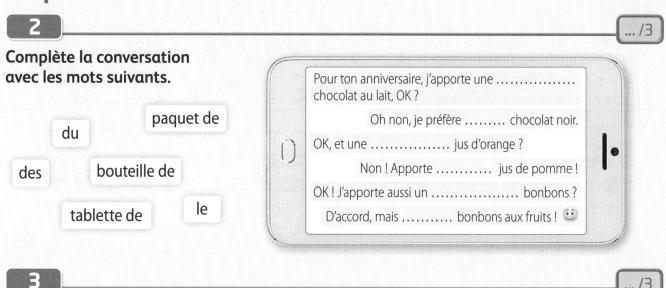

Pour ton anniversaire, j'apporte une .... chocolat au lait, OK ?

Oh non, je préfère .... chocolat noir.

OK, et une .... jus d'orange ?

Non ! Apporte .... jus de pomme !

OK ! J'apporte aussi un .... bonbons ?

D'accord, mais .... bonbons aux fruits ! 🙂

3 ..../3

Observe les dessins et complète avec un verbe et une suite de ton choix.

manger partager ranger

Nous ....
....

Nous ....
....
....

On ....
....

S'interroger sur son alimentation

4 ... /6

Reconstitue les phrases puis associe les questions et les réponses.

a manges / combien / jour / de / Tu / laitiers / par / produits ?

....

....

1 ne / Non, / je / boissons / jamais / bois / sucrées. / de

....

....

b beaucoup / bois / de / Tu / sodas ?

....

....

2 d' / y / a / huile. / peu / un / il / Oui,

....

....

c cette / Il / de / a / peu / y / dans / salade ? / un / grasses / matières

....

....

3 un / le / souvent / mange / Je / yaourt / matin.

....

....

5 ... /4

Lis et associe un plateau à chaque ado.

1 Lucie mange beaucoup de pâtes et un peu de viande, mais toujours un yaourt et un fruit.

2 Laura mange trop de yaourts et pas assez de légumes et de fruits.

3 Paul mange un peu de tout mais ne boit jamais d'eau à table.

4 Marius ne mange pas beaucoup de pâtes et pas de fruits et de légumes.

a .....　　**b** .....

c .....　　**d** .....

Vérifie tes résultats p. 77. ──────────── ... /20

APPRENDRE À APPRENDRE

Écoute et réponds à chaque question avec la méthode proposée. Quelle méthode tu préfères ?

a (11) Écoute avec les yeux fermés et visualise. Puis lis la question et réponds. Réécoute pour vérifier.
> Qu'est-ce que Marie mange pour le déjeuner ? En quelle quantité ?

....

b (12) Écoute et prends des notes. Puis lis la question et réponds. Réécoute pour vérifier.
> Qu'est-ce que Thomas achète ? En quelle quantité ? ....

c (13) Lis la question puis écoute avec la méthode a ou b. Réponds à la question. Réécoute pour vérifier.
> Qu'est-ce qu'ils mangent *parfois, souvent* ou *jamais* ?

....

 Pour améliorer ta compréhension orale : trouve ta méthode !

1 Parlons de l'amitié et de la personnalité

ÉCOUTER

1 🔊14 **a.** Écoute et relie chaque ado à son prénom.

Tom

Zoé

Adèle

b. Réécoute et entoure de la bonne couleur les adjectifs qui correspondent à Tom, Adèle et Zoé.

curieuse   dynamique   généreux   gentille   indépendante   intelligent
jalouse   joyeuse   populaire   rigolo   rigolote   timide

VOCABULAIRE

2 Le caractère et les sentiments. **Regarde les dessins et complète la grille. Puis, retrouve le mot mystère.**

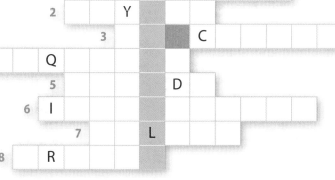

		?							
1	R								
2			Y						
3					C				
4		Q							
5				D					
6	I								
7			L						
8	R								

Mot mystère : ....

PRONONCER

3 🔊15 Les sons [ʃ] et [ʒ]. **Écoute et récite.**

Avec tous mes copains,
Je m'entends super bien !
Gilou n'est pas jaloux
Et rit toujours de tout,
Mathieu, souvent joyeux,

Est surtout généreux,
Jean est intelligent,
Mais n'est jamais méchant,
Et la plus jolie fille,
C'est « Myrtille la gentille » !

Partage tes problèmes
Avec des gens charmants
Choisis bien tes amis,
Ils peuvent changer ta vie !

Parlons de nos relations et de nos émotions

Exprimer ses sensations et ses émotions

1 Complète les bulles avec une sensation.

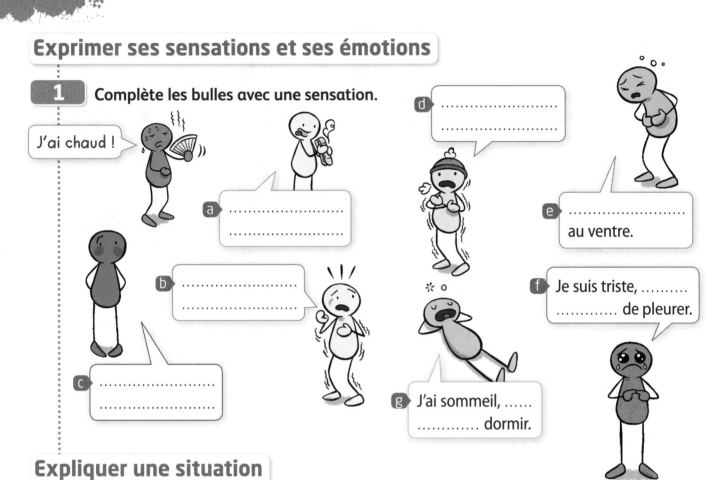

J'ai chaud !

a ....

b ....

c ....

d ....

e .... au ventre.

f Je suis triste, ... de pleurer.

g J'ai sommeil, ... dormir.

Expliquer une situation

2 🔊16 Écoute et associe chaque phrase à une photo.

1 ....

2 ....

3 ....

4 ....

5 ....

6 ....

Les pronoms COD *le, la, les, l'*

3 Remplace le ou les mot(s) souligné(s) par un pronom COD *le, la, les* ou *l'*.

a J'ai rendez-vous avec <u>Mathieu</u> à 14 heures. Je vais .... aider à préparer son anniversaire.

Je peux venir avec toi chez Sofia ?

b <u>Sofia</u> ? Mais tu .... connais ?

Mes parents rencontrent <u>mes nouveaux amis</u> ce week-end.

J'adore <u>le copain de Laure</u> !

c Moi, je suis contente : mes parents .... rencontrent ce soir !

d Pas moi, je .... déteste !

f Je te raconte <u>des secrets</u>, et toi, tu .... dis à tout le monde !

e <u>Élise</u> est contente quand je .... appelle.

PHONÉTIQUE L'élision

4 **(17)** Écoute et coche quand il y a une élision (*l'*) devant le verbe.

	Il y a une élision (*l'*)	Il n'y a pas d'élision (*le / les*)
a		✔
b		
c		
d		
e		
f		
g		

Parlons de l'entraide et de la santé

Parler de la santé et des secours

1 Reconstitue les mots et légende les dessins.

| alemda | ccidaent | cosurse | cinméde |

a les .... **b** un .... **c** un .... **d** un ....

2 🔊 18 Écoute et associe chaque situation à un dessin de l'exercice 1.

- Situation 1 : dessin .....
- Situation 2 : dessin .....
- Situation 3 : dessin .....
- Situation 4 : dessin .....

3 Numérote les bulles dans le bon ordre pour reconstituer l'histoire de Lili.

1 C'est jeudi soir. Je finis mes cours à 17 heures, je suis très fatiguée.

..... Un piéton appelle les secours. J'ai peut-être le bras cassé…

..... Il répond : « Oui, ne t'inquiète pas, on va te soigner ! Tu as le bras cassé. Ce n'est pas grave. »

..... Je rentre à vélo, mais je ne fais pas attention et… je tombe !

..... Je demande : « Est-ce que je vais guérir, monsieur ? »

..... Les pompiers arrivent… J'ai peur !

..... Et voilà l'histoire de mon premier accident !

Les verbes du 2e groupe

4 Associe les formes verbales et les bonnes terminaisons.

a Je grandi-

b Il/Elle/On guéri-

c Nous grandi-

d Ils/Elles guéri-

e Vous grandi-

f Tu grandi-

g Je guéri-

h Ils/Elles grandi-

i Tu guéri-

j Nous guéri-

k Il/Elle/On grandi-

l Vous guéri-

1 -ssons

2 -s

3 -ssez

4 -t

5 -ssent

5 Conjugue au présent les verbes entre parenthèses.

a Je .... (finir) à midi. Ensuite, je vais aider mes amis.

b Natalia .... (grandir) beaucoup en ce moment.

c Tu .... (choisir) quelle association de solidarité ?

d En général, les enfants .... (guérir) vite.

e Avec mon association, nous .... (nourrir) cinq familles du quartier.

f Vous .... (choisir) d'être médecin ou pompier ?

CULTURES

Retrouve la mission de chaque association.

1 Devenez bénévole de notre association ! Accompagnez les enfants pour les aider à s'organiser, à faire leurs devoirs, à apprendre, à découvrir la culture et la citoyenneté.

2 Une radio avec des ados et pour les ados ! Un lieu pour s'exprimer et pour les écouter.

3 Des personnes ont faim, nous voulons les aider. Nous collectons des aliments !

a
FAJET, c'est une aventure qui a commencé en 1984... et à qui on souhaite encore de nombreuses années !

FA)et 94.2 FM

une RADIO associative avec des jeunes pour des jeunes non commerciale

un OUTIL original magique séduisant

pour un PROJET social pédagogique dynamisant

b
11–12 MARS 2016

Collecte Nationale • 10 • ANS
Tous solidaires !

collecte.restosducoeur.org

c
VOUS L'AIDEZ... ÇA LUI RÉUSSIT !

www.entraidescolaireamicale.org
0800 67 24 00*

Entraide Scolaire Amicale
Plus de 3000 enfants accompagnés et 2500 bénévoles
Rejoignez-nous !

* appel gratuit depuis un poste fixe

Association reconnue d'utilité publique

Écrire

↳ **Participe au courrier des lecteurs de ce magazine. Écris un message.**

Je voudrais parler de...

POUR PARTICIPER
Envoie un message et parle d'une personne importante pour toi : décris-la et dis pourquoi tu l'aimes !

Je voudrais parler de ....
....
....
....
....
....

Astuce

Les amis, je les aide !

devant un nom = article défini   devant un verbe = pronom COD

Autoévaluation

Parler de l'amitié et de la personnalité

1 ... /4

Complète avec l'adjectif qui convient.

a Louise rit souvent. Elle est ....joyeux........................ .

b Pierre s'intéresse à beaucoup de choses. Il est ....curieux........................ .

c Charlie n'aime pas quand son meilleur ami parle avec sa copine Julie.

Il est ....jaloux........................ .

d Sarah raconte souvent des blagues ! On rigole beaucoup avec elle.

Elle est ....rigolote........................ .

Parler de nos relations et de nos émotions

2 ... /3

Complète les phrases avec les mots suivants.

envie   besoin   triste   peur   honte   en colère

a J'ai ....honte....... quand je danse… Je danse très mal !

b Je suis ......triste........ quand mon ami ne m'appelle pas.

c J'ai ....peur........... quand je suis dans le noir.

d J'ai ....envie...... de voir mes amis ce week-end.

e Je suis nul en maths, j'ai ....besoin....... d'aide !

f Je suis ...en colère...... : Charlotte répète mes secrets à ses copains.

3 ... /5

Complète avec un pronom COD : le, la, les ou l'.

a Cette fille, je .... déteste !

b Mes vrais amis sont Tom et Léo. Je .... invite souvent.

c Sophie est malade. Marie ....l'.. aide à faire ses devoirs.

d Leïla a un nouveau copain. Elle .... retrouve le mercredi.

e Mes nouvelles copines, je .... aime bien !

Parler de l'entraide et de la santé

4 ... /4

Qu'est-ce que tu fais dans ces situations ? Associe (il y a plusieurs possibilités).

a Je vois un accident dans la rue.

b Je suis malade.

c Je tombe et j'ai une jambe cassée.

d Je suis très fatigué.

1 Je vais chez le médecin.

2 Je vais à l'hôpital.

3 J'appelle le 18.

4 J'appelle les secours.

5 Je vais au lit.

6 Je me soigne.

5 ... /4

Mets les mots dans l'ordre pour faire des phrases.

a Aujourd'hui, – heures. – à – finis – 15 – je

...Aujourd'hui, je finis à 15 heures...

b mais – Mathias – est – guérit – il – malade – vite.

..Mathias est malade mais il vite guérit...

c solidarité ? – Vous – association – de – choisissez – une

....vous choisissez une association de solidarité?...

d ils – soigne – Le – les – médecin – guérissent. – malades – et

....

Vérifie tes résultats p. 77. ... /20

APPRENDRE À APPRENDRE

Lis ces problèmes d'élèves puis associe-les aux conseils.

a Quand j'écoute ma voix en français, j'ai envie de rigoler.

1 Respire profondément avant de prendre la parole !

b J'ai honte de parler devant la classe, je préfère ne pas participer.

2 Travaille en groupe : c'est plus facile de participer !

c Avant de prendre la parole, j'ai peur, j'ai mal au ventre.

3 Entraîne-toi à écouter ta voix en français à la maison !

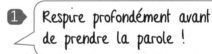

Pour prendre la parole en français : apprends à gérer tes émotions !

Parlons de la presse et des médias

LIRE

 55 % des Français s'informent par la télévision.

 22 % s'informent par Internet.

 19 % s'informent par la radio.

 4 % s'informent par la presse.

Quels médias pour informer ou s'informer ?

 66,4 % des journalistes travaillent pour des journaux ou pour le Web.

 9,7 % des journalistes travaillent à la radio.

 15,5 % des journalistes travaillent à la télévision.

1 **Lis le sondage et coche.**

	Vrai	Faux
a Le sondage est sur les ados français et la presse.	☐	☐
b Internet est le média préféré des Français pour s'informer.	☐	☐
c Les Français n'écoutent jamais les informations à la radio.	☐	☐
d Peu de Français lisent les journaux pour s'informer.	☐	☐
e Beaucoup de journalistes travaillent à la radio.	☐	☐
f Peu de journalistes écrivent pour la presse et pour Internet.	☐	☐

VOCABULAIRE

2 La presse et les médias. **Retrouve 13 mots de la presse et des médias. Complète les phrases avec ces mots.**

unemagazinesdessinateurreportercamérajournalistejournalmicrogrostitres articlescélébritésprésentateurquotidieninformations

a Le .... écrit des .... et le .... fait des dessins.

b Ce .... est un .... Je l'achète tous les jours.

c Le .... filme des images avec sa ....

d Le .... parle dans un .... et présente les .... à la télévision.

e Les .... de cette une sont intéressants !

f J'adore les .... de mode et la presse sur les .... !

PRONONCER

3 (19) **Les sons [k] et [g]. Écoute et récite.**

Tu veux écrire des articles
Pour un très grand quotidien.
Tu sais être sympathique
Une caméra à la main

Et rigolo au micro
Quand tu parles à la radio.
Moi, je regarde les gros titres
Et j'écoute les infos

Ou je critique les rubriques
Des magazines pour ados.
J'écris des blagues sur mon blog
Car je veux en faire mon job !

Racontons des faits divers

Le passé composé avec *avoir*

1 Transforme les titres de journaux au passé composé puis à la forme négative, comme dans l'exemple.

> La police arrête le voleur du collège Lamartine

*La police **a arrêté** le voleur du collège Lamartine. > La police **n'a pas arrêté** le voleur du collège Lamartine.*

a Ils gagnent le concours de jeunes journalistes

.... > ....

b Les deux jeunes reporters d'*Adomag* finissent leurs vacances à l'hôpital !

.... > ....

c Sofia Marceau : « Je choisis d'arrêter de chanter ! »

.... > ....

d Une classe de collégiens : « Nous participons à la semaine de la presse ! »

.... > ....

PHONÉTIQUE Le passé composé et le présent

2 🔊 20 Écoute. Tu entends le présent ou le passé composé ? Coche puis écris la forme verbale.

	Présent	Passé composé	Je/J'...
a regarder		✔	*j'ai regardé*
b finir			....
c adorer			....
d écouter			....
e guérir			....
f choisir			....

Quelques participes passés irréguliers

3 Relie les infinitifs à leur participe passé.

Être   Avoir   Faire

Prendre

Pouvoir   Lire   Voir

pu   vu   lit   eu

lu

fait   été   peut   prend

pris   voit   fais   est   ont

Exprimer son étonnement

4 Entoure dans la grille trois mots pour exprimer son étonnement et complète les bulles.

R	D	R	I	V	E	D	A	N	D
O	I	F	O	T	V	R	R	E	L
I	N	C	R	O	Y	A	B	L	E
D	G	P	E	P	A	T	E	C	B
O	U	F	R	O	M	I	D	A	E
L	E	D	C	I	F	O	U	V	A

a C'est _ _ _ _ _ _ _ _ _ _,
ils ont rencontré une star !

b Tu as lu cette info ?
C'est _ _ _ _ _ _ !

c Un ado de 12 ans a aidé
la police ! C'est _ _ _ !

Situer un événement dans le passé

5 Lis la date et associe les notes aux indications de temps suivantes :

La semaine dernière   L'année dernière   Hier

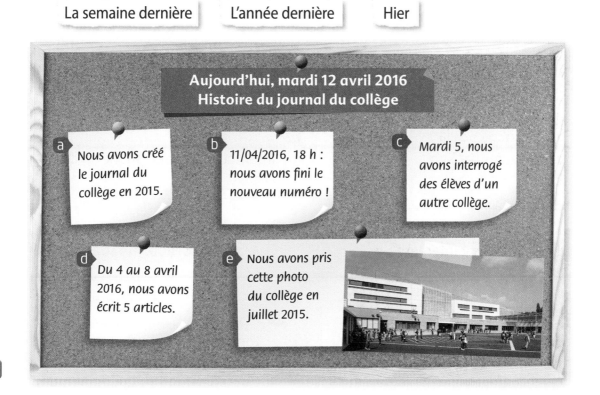

Aujourd'hui, mardi 12 avril 2016
Histoire du journal du collège

a Nous avons créé le journal du collège en 2015.

b 11/04/2016, 18 h : nous avons fini le nouveau numéro !

c Mardi 5, nous avons interrogé des élèves d'un autre collège.

d Du 4 au 8 avril 2016, nous avons écrit 5 articles.

e Nous avons pris cette photo du collège en juillet 2015.

Faisons des recommandations

Poser une question formelle

1 Mets les mots dans l'ordre et reconstitue des questions formelles.
Ajoute les majuscules, les tirets (–) et les points d'interrogation.

a radio la vous aimez écouter **Aimez-** *vous écouter la radio ?*

b magazines lis beaucoup de tu *Tu lis de magazines beaucoup?*

c regardes télévision tu la pourquoi *Pourquoi tu regardes la télévision?*

d lisez dans que journaux vous les *Que li...*

e sociaux comment tu réseaux les utilises *Comment tu utilises les sociaux réseaux ?*

2 Écris les questions de l'exercice 1 de deux autres manières.

a Vous aimez écouter la radio ? / Est-ce que vous aimez écouter la radio ?

b .... / ....

c .... / ....

d .... / ....

e .... / ....

L'impératif négatif

3 🎧 21 Écoute les ados et complète les recommandations à l'impératif négatif.
(Utilise *tu* ou *vous*.)

a Ne regarde pas la télévision deux heures par jour !

b .... Internet sur ton téléphone en classe !

c .... trois heures par jour sur Internet !

d .... le même pseudo, ton copain et toi !

e .... trop d'émissions de téléréalité !

f .... ton adresse mail à tout le monde !

L'Internet et la télévision

4 Décode ces mots puis complète les bulles.

A >	B >	C >	D >	E >	F >	G >	H >	I >	J >	K >	L >	M >

N >	O >	P >	Q >	R >	S >	T >	U >	V >	W >	X >	Y >	Z >

a  (2 x) ....

b ....

c NET

d  ....

e  de ....

....

f ....

g ....

1 Qu'est-ce que tu regardes sur le Net ? C'est une .... de .... ?

2 Non, c'est une .... ! Elle est géniale !

3 Ah et tu la regardes en .... , sur le .... ?

4 Oui ! C'est facile : j'entre le nom de la .... dans un .... et voilà !

Écoute et relie les émissions à leur catégorie et à leur chaîne.

| émission de téléréalité | série | informations | jeu | émission musicale |

 a

b

c

d

e

f

Écrire

→ **Tu as adoré une émission à la télé. Écris un commentaire sur la page Internet de la chaîne.**

Dis ce que tu as aimé et pose des questions sur la ou les prochaine(s) émission(s).

 Publier Photo/vidéo

Exprimez-vous

⚙ **Publier**

Astuce

Je n'ai pas **aimé** cette émission, j'ai adoré ! <u>Avez</u>-vous **préparé** d'autres émissions ?

Phrase négative au passé composé
= ne/n' + **avoir** + pas + **participe passé**

Question formelle au passé composé = **(mot interrogatif (+ nom) +) avoir** + tiret + sujet + **participe passé**

Autoévaluation

Parler de la presse et des médias

1 🔒23 ... /5

Écoute et associe les phrases aux dessins.

a ....   b ....   c ....   d ....   e ....

Raconter des faits divers

2 ... /5

Complète avec les verbes suivants au passé composé.

avoir   pouvoir   être   faire   voir   lire   prendre   casser   réussir   interroger

Collège Infos   *Vol au collège*

Un élève .... témoin d'un vol au collège !

Il .... deux hommes entrer dans la salle

d'informatique et prendre un ordinateur. Il ....

l'idée de faire une photo d'eux avec son téléphone et

il .... à fermer la porte de la salle derrière eux.

Mais les deux hommes .... une chaise et ils ....

une fenêtre pour sortir. Le directeur .... les arrêter dans la cour.

Nous .... l'élève et il a expliqué : « J'....................... une histoire

comme ça dans un livre, alors j'.................................... la même chose ! »

3 🔒24 ... /4

Écoute et réponds puis exprime ton étonnement. Varie les formules.

a Non, il n'a pas eu peur ! C'est dingue !

b Non, ... ! .... !

c Oui, ... ! .... !

d Oui, ... ! .... !

e Oui, ... ! .... !

Faire des recommandations

4 ... /3

Lis les réponses et imagine les questions formelles comme dans l'exemple.

a Que regardes-tu à la télé ? > Je regarde seulement des séries.

b Quand .... > Nous surfons sur le Net la nuit.

c Que .... > Nous lisons seulement

les faits divers dans les journaux.

d Comment .... > Je fais mes devoirs devant la télé.

5 ... /3

Relis les réponses de l'exercice 4 et fais des recommandations à l'impératif négatif.

a Ne regarde pas seulement des séries !

b ....

c ....

d ....

Vérifie tes résultats p. 78. ... /20

APPRENDRE À APPRENDRE

Lis le poème et entoure en bleu **les mots que tu connais,** en vert les mots que tu devines, **en rouge les autres indices pour comprendre les autres mots. Puis relis : tu comprends l'histoire ?**

L'heure du crime

Minuit. Voici l'heure du crime.
Sortant d'une chambre voisine,
Un homme surgit dans le noir.
Il ôte ses souliers,
S'approche de l'armoire
Sur la pointe des pieds
Et saisit un couteau
Dont l'acier luit, bien aiguisé.
Puis, masquant ses yeux de fouine
Avec un pan de son manteau,
Il pénètre dans la cuisine
Et, d'un seul coup, comme un bourreau
Avant que ne crie la victime
Ouvre le cœur d'un artichaut.

Maurice Carême

 Pour mieux comprendre des écrits : cherche des indices !

34

1

Parlons des héros réels ou imaginaires

ÉCOUTER

1 🔊 25 **Écoute et complète la fiche d'identité du héros préféré de Margot.**

FICHE D'IDENTITÉ

Nom : OZENYA

Prénom : ANEKO

Pays : ....

Année de naissance : ....

Caractéristiques :

☐ prince ☐ aventurier ☐ guerrier ☐ magicien

– personnalité : ....

– super pouvoirs : ☐ oui ☐ non

Rêve : ....

VOCABULAIRE

2 **Les héros et les événements historiques. Observe les dessins et complète le tableau avec le nom, le siècle et la catégorie de ces quatre héros.**

a Le professeur Tournesol, 1944

b Robin des Bois, 1377

c Supergirl, 2015

d Phileas Fogg, 1874

Nom	Siècle	Catégorie
....	XIVᵉ	b _ _ _ i _
....	....	_ v _ _ t _ _ _ _ _
....	XXᵉ	_ _ v _ _ t _ _ _
....	....	super-héroïne

3 🔊 26 **Les nombres jusqu'à l'infini. Écoute et complète avec les nombres manquants en chiffres.**

Les Simpsons en chiffres

a Une série record : .... saisons et .... épisodes !

b Date du premier épisode de la série : ....

c Nombre de personnages : plus de .... !

d Nombre de téléspectateurs en France : plus de .... !

e Sortie du film au cinéma : en ....

PRONONCER

4 🔊 27 **Les sons [e] comme dans *parler* et [ε] comme dans *faire*. Écoute et récite.**

Super héros musclé,
Réel, imaginaire ?
Artiste, aventurier,
Princesse ou bien guerrière...

Qui n'a jamais rêvé
D'être une personne connue,
Célèbre et admirée
Et par tous reconnue ?

Racontons la vie de quelqu'un

Les pronoms indéfinis *quelque chose, rien, quelqu'un, personne*

1 **Écris les questions avec *quelqu'un* ou *quelque chose*.**

a .... ?

> Non, dans ma famille, personne n'a vu ce spectacle.

b .... ?

> Non, nous n'avons rien lu sur la vie de cette femme.

c .... ?

> Non, je ne vois rien !

d .... ?

> Non, personne ne connaît cet acteur, dans la classe.

2 **Complète avec *quelque chose, rien, quelqu'un* ou *personne*.**

a Hier, j'ai rencontré .... d'incroyable : l'inventeur du web !

b On regarde une vidéo ? Il n'y a .... d'intéressant ce soir à la télé !

c .... n'a vu son dernier spectacle.

d Il s'est passé .... de bizarre sur scène.

e Ce soir, je ne fais ...., je suis fatigué !

f .... a fait des vidéos de la classe, mais ....

ne les a vues !

Le passé composé avec *être*

3 **Complète le dialogue avec *être* ou *avoir*.**

– J'adore ce chanteur ! Il (a) .... écrit cette chanson ici,
non ?

– Oui, oui. Il (b) .... né ici, il (c) .... habité dans cette
maison. Un jour, il (d) .... rencontré une femme
dans ce café et ils (e) .... partis à Paris.

– Et il (f) .... revenu dans son village ?

– Oui, il n' (g) .... pas aimé Paris, et puis sa femme
(h) .... partie. Alors, il (i) .... fait cette chanson.
Tout le monde la connaît mais personne n' (j) ....
vu cette femme !

4   **Élias écrit à Tina. Entoure le participe passé correct.**

a   Salut Tina, tu es **sortie / sorti** ce week-end ?

b   Salut Élias, oui, j'ai **vu / vue** le spectacle de Norman ! 😊 😊

c   Non ?! J'adore !! Il est **passée / passé** quand ?

d   Samedi soir ! Je suis **allé / allée** le voir avec mon frère.

e   Bon, vous vous êtes **amusés / amusé** ?

f   Oui ! On a vraiment **rigolés / rigolé** ! 😊

La prononciation du participe passé

5   **a. Lis et prononce les phrases. Puis coche.**

		Prononciation différente des participes passés	Prononciation identique des participes passés
1	a Il est **devenu** célèbre. b Elle est **devenue** célèbre.		
2	a Il est **né** à Paris. b Ils sont **nés** à Paris.		
3	a Il est **parti** en tournée. b Elles sont **parties** en tournée.		
4	a Il est **mort** en quelle année ? b Elle est **morte** en quelle année ?		
5	a Elle s'est bien **amusée**. b Ils se sont bien **amusés**.		

b. 🔊 (28) **Écoute pour vérifier.**

3 Racontons des expériences passées

Déjà, jamais, pas encore

1 🔊29 **Écoute les quatre dialogues. Puis associe chaque question à sa réponse.**

Tu as /es déjà...

1 sauvé quelqu'un ? ○   ○ a déjà

2 joué dans une série ? ○

3 participé à une émission de télé ? ○   ○ b pas encore

4 montée sur scène ? ○   ○ c jamais

2 **Réponds aux questions. Utilise *pas encore*, *jamais* ou *déjà*.**

a ▸ Avec ta classe, vous avez déjà joué votre spectacle ?

Non, ... : on va le jouer la semaine prochaine.

b Tu as déjà vu ce chanteur en concert ?

Non, ... Et toi ?

c ▸ Tu as déjà posté des vidéos sur Internet ?

Oui, ...
....

Situer dans le temps

3 **Lis « Les secrets de Tintin » et complète le texte avec *avant*, *pendant* ou *après*.**

Les secrets de Tintin

22 mai 1907 : naissance de George Remi (ou Hergé) à Bruxelles

1930 : premier album – *Tintin au Pays des Soviets*

1946 : publication du 1er numéro du *Journal de Tintin*

1976 : dernier album – *Tintin et les Picaros*

3 mars 1983 : mort d'Hergé à l'âge de 76 ans

(a) .... la sortie du premier album, *Tintin au Pays des Soviets*, on a découvert les personnages de Tintin et Milou dans un journal pour adolescents. Hergé a écrit les aventures de Tintin (b) .... 46 ans, de 1930 à 1976 ! Le dernier album, *Tintin et les Picaros*, est sorti 7 ans (c) .... la mort d'Hergé.

Indiquer la chronologie

4 **Mets les phrases dans l'ordre chronologique : numérote-les de 1 à 5.**

...... **a** Mais ensuite, j'ai joué un autre sketch et les gens ont beaucoup applaudi.

...... **b** D'abord, j'ai pensé : « Je ne suis vraiment pas drôle ! »

...... **c** Finalement, tout s'est bien passé !

...... **d** Au début, personne n'a rigolé.

...... **e** Hier soir, j'ai joué mon premier rôle dans un spectacle comique.

Le monde du spectacle / Être un héros

5 **Remplace chaque dessin par une expression et conjugue-la au passé composé :** *passer à la télé, monter sur scène, réussir, jouer le rôle, sauver une personne, applaudir.*

a J'ai été le « héros d'un jour » !

J'ai  ....

.... dans la rue !

c Mon père ....

.... parce qu'il a écrit un livre.

b Elle

....

À la fin de la pièce, les gens

 ....

....

d Cet acteur  ....

.... de Superman pendant des années.

e Tomas  ....

.... à faire rire le public.

CULTURES

a. **L**is les mini-biographies et écris les dates de naissance en vert et les exploits en rouge sur la frise chronologique.

❶ **Catherine Destivelle**

Naissance : 1960

Alpiniste

Célèbres exploits :
En 1994, elle a escaladé, seule et en hiver, trois célèbres montagnes des Alpes.

❷ **Jacques Cartier**

1491 – 1557

Navigateur, explorateur

Célèbre exploit : Il a exploré le golfe du Saint-Laurent en 1534 et il a découvert le Canada.

❸ **Philippe Petit**

Naissance : 1949

Funambule

Célèbre exploit :
Il a marché sur un fil entre les deux tours du World Trade Center en 1974.

XVᵉ	XVIᵉ	XVIIᵉ	XVIIIᵉ	XIXᵉ	XXᵉ	XXIᵉ

b. 🎧(30) **É**coute et complète.

En ……………, il a marché sur un fil à Notre-Dame-de-Paris. En ……………, au Harbour Bridge ; en ……………, du Trocadéro à la tour Eiffel, et en ……………, il est devenu mondialement célèbre.

> C'est ? ………………………………

Écrire

↳ **Crée une page d'album photo de toi bébé. Colle des photos et écris des informations sur les deux premières années de ta vie (ta date de naissance, tes premières expériences, tes premiers mots, etc.).**

ASTUCE

Je suis né en 2004. J'ai eu ma première dent à 6 mois et j'ai marché à l'âge de 13 mois.

Préposition en devant une date

Préposition à devant une précision sur l'âge

Autoévaluation

Parler de héros réels ou imaginaires

1  ... /3

Écoute et entoure les nombres que tu entends.

| 3890 | 706 | 1997 | 1999 | 7 000 000 | 2050 | 500 |

| 960 000 | 148 | 1789 | 5 000 000 | 25 002 |

Raconter la vie de quelqu'un

2 ... /4

Complète avec *quelque chose*, *rien*, *quelqu'un* ou *personne*.

a La Pakistanaise Malala Yousafzai est .... d'extraordinaire !

b Des super pouvoirs ? Ça n'existe pas : .... ne peut porter un bus !

c Je ne comprends .... à cette histoire ; tu peux m'expliquer ?

d Être une star du Net, c'est .... de nouveau dans le monde du spectacle.

3 ... /3

Accorde les participes passés, si nécessaire.

a Mon amie Etty a vu... le dernier film sur le super-héros Deadpool, sorti en février.

b Hier, Jeanne s'est promené... dans la rue en robe de princesse !

c Lisa et sa sœur sont né... le même jour.

d Ce matin, j'ai rencontré... une actrice connue près de chez moi.

e Ces jeunes humoristes sont devenu... célèbres avec Internet.

f Hier soir, Louis et moi, nous sommes rentré... tard du théâtre.

Raconter des expériences passées

4 ... /3

Transforme avec *déjà*, *jamais* ou *pas encore*, comme dans l'exemple.

Elsa est passée une fois à la radio. > Elsa est déjà passée à la radio.

a Victor n'a pas vu le spectacle hier, il va le voir demain.

  > Victor n'a ....

b Anna n'a pas vécu cette expérience.

  > Anna n'a ....

c Jasmine et Antoine ont parlé en public une ou deux fois.

  > Jasmine et Antoine ....

Reconstitue la biographie de l'acteur Jean Dujardin.

a il a reçu beaucoup de prix pour son rôle dans le film
du réalisateur Michel Hazanavicius, *The Artist*.

b Aujourd'hui, il continue à tourner des films.

c Jean Dujardin, acteur et humoriste français, est né
le 19 juin 1972 près de Paris.

d Finalement, il est devenu très célèbre dans le monde
entier en 2011 :

e Pendant quatre ans (1999-2003), il a eu beaucoup
de succès en France avec le rôle de Loulou dans
la mini-série télévisée *Un gars, Une fille*

f D'abord, il a créé des spectacles humoristiques.
Puis, il a participé à des émissions de télévision.

g et il a joué dans de nombreux films au cinéma
(*Brice de Nice, OSS 117…*).

> ....

Vérifie tes résultats p. 78. ——————————— ... /20

APPRENDRE À APPRENDRE

32 Lis les trois étapes suivantes. Puis mets-toi debout et écoute. Fais l'exercice.

a Ferme les yeux et
imagine : tu dessines
une ligne qui descend
de la tête jusqu'à tes
pieds et qui partage
ton corps en deux.

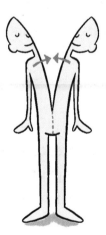

b Continue à imaginer :
tu recolles les deux
parties de ton corps.

c Ouvre les yeux :
ton cerveau est prêt
à apprendre !

 Pour mieux mémoriser : apprends à te concentrer !

Parlons des problèmes de la planète

LIRE

1 **Lis et complète le texte avec les mots suivants.**

animaux   déchets   boîte   nature   polluons   environnement   poubelles   plastique

Tous les .... *n'ont pas les mêmes conséquences sur l'*............................. !

Comparons par exemple une feuille morte et une pile : les conséquences pour la .... ne sont pas les mêmes !
Eh oui ! La feuille morte peut être un aliment pour les petits .... ou les autres plantes, mais la pile, la bouteille en .... ou la ....
en métal ne nourrissent personne ! Alors attention ! Ne .... pas la nature avec nos déchets et choisissons les bonnes .... !

VOCABULAIRE

2 **Les animaux. Devine de quel animal il s'agit.**

une _ _ _ _ _ _ _   un _ _ _ _ _ _ _ _ _   un _ _ _ _   un _ _ _ _ _ _   une _ _ _ _ _ _

3 **La nature et les problèmes d'environnement. Cherche 4 mots ou groupes de mots. Puis, avec les lettres en trop, retrouve le message caché !**

a les ....
b le ....
c l'...
d la ....
> _ _ _ _ _ _ _ _ _ _ _ _ _ _ _ _ _ _ _ !

PRONONCER

4 33 **Les sons [f] comme dans *faire*, [v] comme dans *vouloir*, [p] comme dans *parler*, [b] comme dans *bleu*. Écoute et récite.**

Qu'est-ce qu'on peut faire
Pour notre Terre,
Pour la soigner,
La protéger ?

Qu'est-ce que tu fais
De tes déchets ?
Tu récupères
Papier et verre ?

La pollution,
Ce n'est pas bon.
Ce n'est pas chouette
Pour la planète !

Je veux avoir
Un peu d'espoir,
Un lieu de vie,
Beau et joli !

Exprimons l'obligation et l'interdiction

Le verbe *devoir*

1 **Complète la grille avec les formes du verbe *devoir* au présent.**

2 **Transforme les phrases avec le verbe *devoir* comme dans l'exemple.**

▶ Respectons la nature ! > On doit respecter la nature.

a Respectons la biodiversité !

> Les visiteurs ....

b N'entrez pas dans le parc avec des animaux !

> Vous ....

c Ne nourris pas les animaux !

> Tu ....

d Portons des vêtements adaptés !

> On ....

e Ne jetons pas de cailloux !

> Nous ....

f Lis le règlement.

> Je ....

Exprimer l'obligation et l'interdiction

3 Associe pour découvrir le règlement du parcours d'accrobranche.

A accompagner les enfants de moins de 13 ans.

B respecter les règles de sécurité.

C avoir au minimum 8 ans pour participer.

a On — 1 ne faut pas

b Il — 2 doit

D porter de chaussures de ville ou de plage.

E utiliser un casque.

F bien écouter le/la responsable du groupe.

G utiliser son téléphone portable pendant le parcours.

H jeter ses déchets dans la nature.

I bien lire le règlement !

4 Dessine des logos, comme dans l'exemple, pour les phrases D, E, H et I de l'exercice 3.

▸ phrase G >

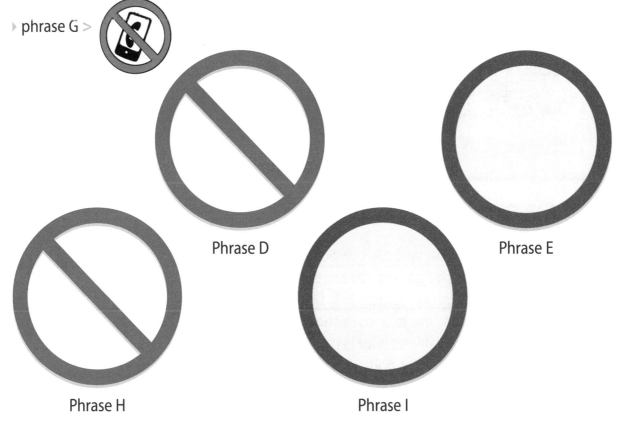

Phrase D

Phrase E

Phrase H

Phrase I

Présentons des actions écologiques

Exprimer le présent continu

1 🔊34 **Écoute et associe chaque phrase à une photo.**

 phrase ......

 phrase ......

 phrase ......

 phrase ......

 phrase ......

2 **Écris ce qu'ils sont en train de faire pour protéger la nature. Utilise le présent continu et les mots suivants.**

arbre   choisir

déchets   écologique   mettre   planter   poubelle   produit

Ils ....   Nous..................................   Elle ....

....

Le verbe *mettre*

3 **Entoure la forme verbale correcte.**

a Je *met / mets* du pain et de l'eau dans la mangeoire.

b Mes parents *met / mettent* de la bonne terre dans le jardin.

c Nous *mettent / mettons* les déchets à la poubelle ou au compost.

d Tu *met / mets* l'affiche pour la protection des animaux dans la classe ?

e On *met / mettons* les bouteilles en plastique dans quelle poubelle ?

f Vous *mettons / mettez* les papiers dans la boîte « Recyclage ».

La prononciation du verbe *mettre*

4 🔊35 Écoute et écris le ou les pronoms sujets correspondant à chaque forme verbale (plusieurs réponses possibles).

a ....   c ....

b ....   d ....

Si + présent

5 Découvre pourquoi les abeilles sont importantes : observe les dessins et fais des phrases avec les mots proposés, comme dans l'exemple.

▸ les abeilles / on utilise / des produits non écologiques / disparaissent

> Si on utilise des produits non écologiques, les abeilles disparaissent.

Ⓐ la reproduction des végétaux / ~~disparaissent~~ / est en danger / ~~les abeilles~~

> Si les abeilles disparaissent, ...
....
....

Ⓑ est en danger / n'ont pas de nourriture / la reproduction des végétaux / les animaux herbivores*

> Si ....
....

Ⓒ a des problèmes pour se nourrir / n'ont pas de nourriture / l'homme / les animaux herbivores*

> Si ....
....

* herbivore = un animal herbivore se nourrit de végétaux, de plantes.

CULTURES

Associe chaque explication à un dessin. Puis écris l'énergie utilisée : le vent – les mouvements de l'homme – le soleil – la biomasse (les matières organiques vivantes).

a On peut transformer les déchets des végétaux ou des animaux en biogaz. > Dessin …

b Avec cet arbre, on peut transformer l'énergie solaire en électricité. > Dessin …

c On peut capter les mouvements humains comme la danse ou la marche pour produire de l'électricité. > Dessin …

d Un bateau peut avancer sans consommer de carburant. > Dessin …

énergie
utilisée :
……………

énergie
utilisée :
……………

énergie
utilisée :
……………

énergie
utilisée :
……………

Écrire

↳ **Tu fais partie du club des Amis des animaux. Prépare une affiche et écris 4 obligations et 4 interdictions pour sauver les animaux.**

Il faut sauver les animaux !

………………………………
………………………………
………………………………
………………………………
………………………………
………………………………
………………………………
………………………………

Astuce

Il **fait** trop chaud sur la planète ! Il **faut** sauver les ours polaires !

Il ≠ une personne, un animal, une chose = forme impersonnelle

Il = une personne, un animal, une chose → Il ne **doit** pas disparaître !

Autoévaluation

Parler des problèmes de la planète

1 ... /4

Quels titres de journaux décrivent des dangers pour la planète ? Coche.

a Il y a trop de déchets sur nos plages ☐

d 100 nouvelles espèces en voie de disparition ☐

b LES REQUINS TOUJOURS VICTIMES DE LA PÊCHE ! ☐

e 60 % des familles ne recyclent pas leurs déchets ☐

c Juillet 2016 : les sacs en plastique dans les supermarchés, c'est fini ! ☐

f Les Français s'intéressent aux énergies renouvelables... ☐

Exprimer l'obligation et l'interdiction

2 36 ... /4

Lis les questions des visiteurs du parc Adrénaline.
Écoute les réponses du responsable du parc et associe.

Est-ce qu'il faut réserver ?

S'il pleut, est-ce qu'on peut pratiquer l'activité ?

a Réponse n° .....

b Réponse n° .....

Mon fils a 12 ans, est-ce qu'il peut faire le parcours de la catégorie 13-16 ans ?

Est-ce que les parents doivent grimper avec les enfants ?

c Réponse n° .....

d Réponse n° .....

3 ... /4

Exprime une obligation ou une interdiction pour chaque phrase.
Pour protéger la planète…

▸ acheter du matériel scolaire recyclable > Vous devez acheter du matériel scolaire recyclable.

a utiliser des énergies renouvelables

  > On ....

b détruire le lieu de vie des animaux en voie de disparition

  > Il ....

c jeter tes déchets dans la nature

  > Tu ....

d respecter les animaux et les végétaux

  > Il ....

Présenter des actions écologiques

4 « Qu'est-ce que je peux faire pour respecter la planète ? » ___ /4

Lis et associe chaque photo à une phrase du tract.

Voici des idées pour protéger la Terre

1 J'utilise les poubelles pour trier mes déchets.
2 Je crée de nouveaux objets avec les objets que je n'utilise pas.
3 Je recycle le papier.
4 Je prends mon vélo ou je marche pour les petits déplacements.
5 J'utilise les transports en commun pour les longs déplacements.
6 J'aide mes parents à planter des fleurs chez nous.
7 J'installe des mangeoires pour les animaux.
8 Je fais un compost.
9 J'achète des produits sans plastique.
10 Je plante des légumes.

a Phrase n° .....

b Phrase n° .....

c Phrase n° .....

NON   OUI

d Phrase n° .....

5 ___ /4

Remets les mots dans l'ordre et conjugue les verbes soulignés au présent pour découvrir 4 actions écologiques.

a À – cantine, – déchets. – <u>devoir</u> – élèves – la – les – leurs – trier
> ....

b cour. – d' – dans – des – en – <u>être</u> – installer – la – les – mangeoires – On – oiseaux – pour – train
> ....

c affiches – dans – ma – avec – classe – conseils – des – On – des – écologiques. – <u>mettre</u>
> ....

d à – bouteilles – cantine. – en – la – les – les – Nous – nous – plastique, – <u>pouvoir</u> – <u>récupérer</u> – recycler – si
> ....

Vérifie tes résultats p. 78. ___ /20

APPRENDRE À APPRENDRE

37 Vrai ou faux ? Coche puis écoute les réponses.

a Il faut faire du sport pour bien apprendre, c'est bon pour le cerveau ! ☐ vrai ☐ faux

b Il faut rester assis sur une chaise sans bouger pour bien se concentrer. ☐ vrai ☐ faux

c Si tu participes à des projets de groupe, tu mémorises mieux ! ☐ vrai ☐ faux

d Dessiner une carte mentale, ça aide à organiser les connaissances ! ☐ vrai ☐ faux

e Mimer, jouer un rôle, se déplacer dans la classe, ça n'aide pas à mémoriser ! ☐ vrai ☐ faux

 Pour mieux apprendre : sois actif !

LEÇON

1

Parlons d'argent de poche

LIRE

1 Lis les témoignages et coche. Puis souligne les phrases dans les textes pour justifier tes réponses.

VOS TÉMOIGNAGES

Est-ce que tu as de l'argent de poche ?

Je n'ai pas d'argent de poche mais quand j'ai besoin de m'acheter quelque chose, mes parents me donnent de l'argent... Pour les grosses dépenses, je dois attendre mon anniversaire.

Youcef, 13 ans

Moi non, je n'ai pas d'argent de poche, et je ne reçois jamais d'argent pour mon anniversaire. Mes parents disent: « L'argent, ça ne se donne pas, ça se gagne ! »

Gaspard, 12 ans

Oui, moi j'ai quinze euros par mois. Je garde mon argent dans ma tirelire. Avoir de l'argent de poche, ça responsabilise !

Silène, 14 ans

	a de l'argent de poche	n'a pas d'argent de poche
Youcef		
Gaspard		
Silène		

VOCABULAIRE

2 L'argent. **Écoute et coche.**

	a	b	c	d	e	f
dépensier/ière						
pas dépensier/ière	✔					

PRONONCER

3 Le son [j]. **Écoute et récite.**

Il n'y a plus rien dans ma tirelire :
Pas une pièce, ni un seul billet !
Comment payer mes petits plaisirs,
Essayer d'économiser ?

Combien d'argent pour mes loisirs,
Pour voyager ou m'habiller,
Bien m'amuser ou pour sortir ?
C'est dur quand on est dépensier !

Décrivons des objets

La place des adjectifs

1 Remets les mots dans l'ordre pour faire des phrases. Fais attention à la place des adjectifs, aux majuscules et à la ponctuation !

a `rond` `un` `c'` `objet` `est`

....

b `porte` `bleu` `Luce` `tee-shirt` `un`

....

c `a` `jouet` `Marco` `un` `trouvé` `vieux`

....

d `j'` `nouveau` `ai` `jeu` `un` `acheté`

....

e `gratuite` `c'` `une` `est` `application`

....

f `eu` `idée` `bonne` `avez` `une` `vous`

....

g `a` `il` `beaucoup` `y` `de` `belles` `magasin` `ce` `choses` `dans`

....

2 Associe un ou plusieurs adjectif(s) à chaque nom d'objet.

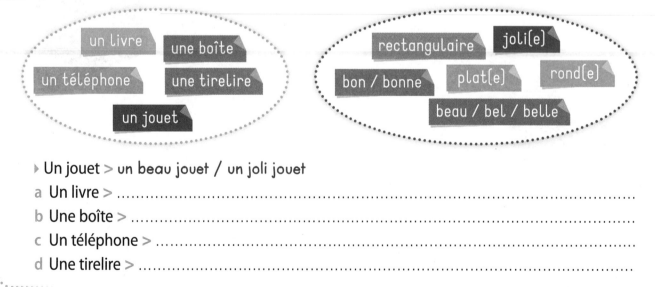

un livre une boîte un téléphone une tirelire un jouet

rectangulaire joli(e) bon / bonne plat(e) rond(e) beau / bel / belle

▶ Un jouet > un beau jouet / un joli jouet

a Un livre > ....

b Une boîte > ....

c Un téléphone > ....

d Une tirelire > ....

Décrire un objet

3 🎧 40 Note le nom de chaque objet sous sa photo. Puis, écoute et associe chaque objet à sa description.

a▸ une ....
> description n° ....

b▸ un ....
> description n° ....

c▸ un ....
> description n° ....

d▸ des ....
> description n° ....

4 Choisis deux objets et écris deux devinettes comme dans l'exemple.

▸ C'est un objet rectangulaire. Ça sert à écrire, à communiquer, à regarder des photos…
> C'est un ordinateur.

Objet 1 : C'est un objet ....
....
Ça sert à ....
....

> C'est ....
....

Objet 2 : ....
....
....
....

> C'est ....
....

3 Comparons des attitudes

Les pronoms COI *lui, leur*

1 **Remplace les mots soulignés par *lui* ou *leur* et réécris les phrases.**

▸ Je téléphone <u>à mon amie Julia</u>. > Je lui téléphone.

a Marius offre un beau cadeau <u>à Louise</u>.

> ....

b Tom propose son aide <u>à ses grands-parents</u>.

> ....

c Tu expliques <u>au professeur</u> ton idée pour collecter de l'argent ?

> ....

d Je demande de l'argent <u>à mes parents</u> pour aller au cinéma.

> ....

e Elle envoie un mail <u>à Paola et Jules</u> pour sa fête d'anniversaire.

> ....

Pour comparer avec *plus* et *moins*

2 **Lis le document et complète les phrases avec *plus de* ou *moins de*.**

Journée « **La deuxième vie des objets** » au collège !
Vends tes vieux objets avec ta classe !

Classe de 5ᵉ A	Classe de 5ᵉ B
A collecté : 80 €	A collecté : 95 €
Nombre d'objets vendus : 53	Nombre d'objets vendus : 63
Types d'objets vendus :	Types d'objets vendus :
• 15 jouets	• 25 jouets
• 23 livres	• 18 livres
• 3 vêtements	• 12 vêtements
• 12 trousses	• 8 trousses
Bravo et merci pour votre participation !	*Bravo et merci pour votre participation !*

a La classe de 5ᵉ A a collecté .... argent que la classe de 5ᵉ B.

b La classe de 5ᵉ A a vendu .... jouets .... la classe de 5ᵉ B.

c La classe de 5ᵉ A a vendu .... livres .... la classe de 5ᵉ B.

d La classe de 5ᵉ A a vendu .... vêtements .... la classe de 5ᵉ B.

e La classe de 5ᵉ A a vendu .... trousses .... la classe de 5ᵉ B.

3 Lis les dialogues et compare les attitudes de ces adolescents.
Utilise les mots proposés.

Adèle : Je fais le ménage une fois par mois chez mes grands-parents pour gagner de l'argent de poche.

Théo : Moi, je le fais une fois par semaine !

> Adèle fait le ménage moins souvent que Théo. (souvent)

a Charlotte : J'ai 10 euros d'argent de poche par semaine !

Romane : Moi, j'ai 7 euros par semaine !

> Charlotte a .... Romane. (argent de poche)

b Nathan : Samedi, j'ai gardé un enfant.

Tom : Moi, j'ai gardé trois enfants chez mes voisins !

> Nathan a gardé .... Tom. (enfants)

c Zora : Je dépense 20 euros par mois pour mes sorties, et toi ?

Lila : Moi, 30 !

> Zora est .... Lila. (dépensière)

d Manon : J'achète quatre nouveaux vêtements par an avec mon argent de poche.

Mathilde : Moi, seulement deux ; je préfère acheter des jeux vidéo.

> Manon achète .... Mathilde. (vêtements)

e Nina : Ma tablette a coûté 100 euros. J'ai beaucoup économisé pour l'acheter !

Colin : Ma tablette a coûté 85 euros.

> La tablette de Nina a coûté .... la tablette de Colin. (cher)

PHONÉTIQUE La prononciation de *plus*

4 Lis les phrases suivantes et souligne *plus* quand tu prononces le « s ».
Puis écoute pour vérifier.

a J'ai dépensé plus d'argent que prévu !

b Tu es plus dépensière que moi !

c À partir de maintenant, je vais mettre plus souvent de l'argent à la banque.

d Cette année, j'ai fait plus d'économies que l'année dernière.

e Ses parents lui donnent plus d'argent qu'avant.

CULTURES

Voici deux contes populaires de l'écrivain français Charles Perrault (1628-1703) : *Le Petit Poucet* et *Peau d'âne*.

Reconstitue les résumés de ces deux contes. Puis, retrouve le titre correspondant.

Conte 1
Titre : ....

a Après la mort de la reine, le roi cherche une femme plus intelligente et plus belle qu'elle. Cette femme, c'est sa fille, la princesse !

b Un roi, une reine et une princesse, très riches et heureux, ont un âne magique : il leur donne des pièces d'or.

c Finalement, elle va rencontrer un prince.

d La princesse ne veut pas se marier avec son père. Il lui donne alors la peau de l'âne magique mais elle part loin de lui.

> ....

Conte 2
Titre : ....

a Finalement, ils partent de chez l'ogre avec tout son argent. La famille devient riche.

b Des parents abandonnent leurs sept garçons dans la forêt. Le plus petit met des cailloux derrière lui pour retrouver le chemin de la maison.

c Mais, abandonnés une deuxième fois, les sept frères arrivent chez un ogre.

> ....

Écrire

↳ **Réponds au SMS et propose des idées de cadeaux pour tes amis.**

Coucou !
C'est l'anniversaire de Lino et Lucie.
Qu'est-ce qu'on leur achète ?
Tu as des idées de cadeaux ?

....
....
....
....
....
....

Astuce

Leurs parents leur achètent quoi ?

↗ Adjectif possessif = s'accorde avec le nom (singulier ou pluriel)

↖ Pronom COI = invariable

Autoévaluation

Parler d'argent de poche

1 ... /4

Relie chaque expression à un dessin.

dépenser de l'argent | échanger de l'argent | économiser de l'argent | recevoir de l'argent

a

b

c

d

Décrire des objets

2 ... /5

Mets les adjectifs à la bonne place.

a (vieux) C'est un .... téléphone .... !

b (gros) J'ai fait un .... achat .... !

c (connectés) Jean aime les .... objets ....

d (gratuit – nouveau) Il y a un .... magazine ....

3 ... /3

Écris deux phrases différentes pour décrire la fonction de chaque objet.

a *Ça sert à prendre des photos.*
Ça sert à ....
....

b 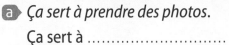 ....
....

c  ....
....

Comparer des attitudes

4 ... /4

Relie les répliques pour former des mini-dialogues.

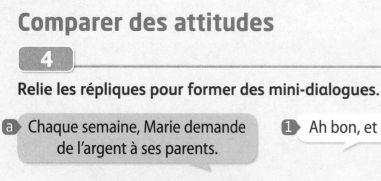

a Chaque semaine, Marie demande de l'argent à ses parents.

1 Ah bon, et qu'est-ce que tu lui as acheté ?

b Hier, on a fêté l'anniversaire de ma sœur.

2 Je leur ai déjà demandé mais ils ne peuvent pas.

c Juliette, tu aides souvent ta grand-mère ?

3 Combien ils lui donnent ?

d Pourquoi tu ne demandes pas à tes amis de t'aider ?

4 Non, mais parfois je lui propose de faire ses courses.

5 🎧 42 ... /4

Écoute Joseph et Pauline et corrige les phrases fausses.

a La montre de Pauline est moins chère que la montre de Joseph.

....

b La montre de Pauline est plus grosse que la montre de Joseph.

....

c La montre de Pauline a plus de fonctions que la montre de Joseph.

....

d La montre de Joseph est moins belle que la montre de Pauline.

....

Vérifie tes résultats p. 79. ... /20

APPRENDRE À APPRENDRE

Lis cette consigne et entoure en rouge le type de texte à écrire,
en bleu les structures grammaticales à utiliser, en vert le nombre de mots à écrire,
en noir la / les personnes à qui tu écris.

> **Écris un message à tes parents : tu leur demandes de te donner plus d'argent de poche et tu leur expliques pourquoi. (Utilise les comparatifs :** *tu es plus âgé(e)*, *tu as plus de dépenses*, *tu dois faire plus de cadeaux*, **etc.). 50 mots.**

 Pour t'améliorer en expression écrite : lis bien la consigne !

Parlons de notre orientation

ÉCOUTER

1 🎧 43 **Écoute et réponds aux questions.**

a Où est allée Louane ? **>** ....

b Qu'est-ce qu'elle a découvert ? **>** ....

c Quelles sont les filières nommées par Théo ? **>** ....

d Que veut faire Louane maintenant ? **>** ....

VOCABULAIRE

2 **Les professions. Lis les définitions et écris les professions dans la grille. Puis découvre le mot mystère.**

1 Elle transporte des voyageurs dans un avion.
2 Il soigne les animaux.
3 Elle défend les personnes devant la justice.
4 Elle travaille dans une école ou un collège.
5 Elle soigne les malades.
6 Il travaille dans un laboratoire.
7 Il dessine des BD.
8 Elle écrit des romans.
9 Il écrit des articles dans la presse.
10 Elle construit des machines, des robots…

Mot mystère : ....

3 **Les filières et l'orientation. Trouve la filière que ces personnes ont choisie pour exercer leur profession.**

a un reporter > la _ _ _ _ _ _ _ _ _ _ _ _ _

b une dessinatrice > les _ _ _ _

c un professeur de français > les _ _ _ _ _ _ _

d une médecin > la _ _ _ _ _

e un ingénieur > les _ _ _ _ _ _ _ _ _ _ _ _

f un avocat > le _ _ _ _ _

PRONONCER

4 🎧 44 **Les sons [d] et [t]. Écoute et récite.**

On rêve d'être acteur…
Ou dessinateur…
Ou de faire du droit,
Et d'être avocat !

Mais c'est un peu dur,
De savoir déjà
Ce qu'on aimera
Dans notre vie future !

Nous avons du temps
Pour nous décider,
Encore trois, quatre ans
Pour nous orienter !

Parlons de nos passions et de nos qualités

Parler de ses passions

1 🔊 **45** Écoute et associe chaque question à la réponse correspondante.

> Oui, je suis passionné de sport !

> Oui, ma passion, ce sont les langues !

ⓐ Question n° .....

ⓑ Question n° .....

> Oui, je suis folle de sciences !

> Oui, je suis fou de musique !

ⓒ Question n° .....

ⓓ Question n° .....

Le verbe *savoir*

2 Complète les phrases avec le verbe *savoir* au présent.

a Vous .... où sont les Journées de l'orientation ?

b Tu .... quel est mon rêve ? Devenir acteur !

c Nous, on .... être à l'écoute des autres.

d Moi, je ne .... pas quoi faire plus tard !

e Mes parents .... quelles sont mes passions.

f Ce robot .... parler 50 langues différentes !

g Nous ne .... pas quelle filière choisir.

3 Quels sont tes savoir-faire ? Coche puis complète la liste.

Je sais   ☐ dessiner.   ☐ parler en public.

☐ écrire des histoires.   ☐ parler deux langues étrangères.

☐ chanter.   ☐ travailler en équipe.

☐ jouer d'un instrument de musique.   ☐ expliquer aux autres et les aider.

☐ ....

☐ ....

☐ ....

Décrire des qualités

4 Associe les professions aux qualités. Il peut y avoir plusieurs possibilités !

Pour être...	il faut...
a aventurier / aventurière, b médecin, c écrivain / écrivaine, d dessinateur / dessinatrice de mode, e chanteur / chanteuse, f inventeur / inventrice, g professeur(e) de technologie,	1 aimer les mathématiques. 2 avoir de l'imagination. 3 être à l'écoute des autres. 4 être courageux / courageuse. 5 être créatif / créative. 6 être organisé(e). 7 être patient(e). 8 être à l'aise en public. 9 savoir bien dessiner.

a	b	c	d	e	f	g
4	………	………	………	………	………	………

Le masculin et le féminin des professions

5 Écoute et transforme les professions au masculin ou au féminin. Puis coche.

	Même prononciation au masculin et au féminin	Prononciation différente au masculin et au féminin
a un acteur		✔
b une _ _ _ _ _ _ _ _ _		
c un _ _ _ _ _ _ _		
d un _ _ _ _ _ _ _ _ _ _		
e une _ _ _ _ _ _ _ _ _ _		
f un _ _ _ _ _ _ _ _ _		
g une _ _ _ _ _ _ _ _ _		
h une _ _ _ _ _ _ _ _ _ _		
i un _ _ _ _ _ _		

Imaginons l'avenir

Le futur simple

1 Relie les formes verbales et les bonnes terminaisons.

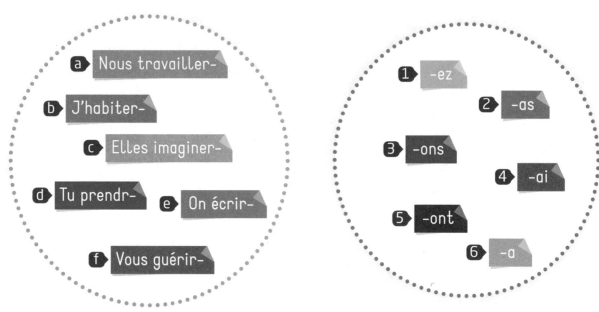

2 Complète avec les verbes au futur simple.

apprendre   choisir   exercer   finir   guérir   travailler

a J'............................ beaucoup de choses intéressantes aux Journées de l'orientation.

b Mes cousins .... bientôt leurs études.

c Dans le futur, on .... de nombreuses maladies.

d Qu'est-ce que ta sœur .... comme filière ?

e Vous .... quelle profession plus tard ?

f Tu .... dans la communication ?

PHONÉTIQUE Le e caduc

3 47 Dis les phrases suivantes sans prononcer les *e* caducs soulignés. Puis écoute pour vérifier.

a Vous habit<u>e</u>rez où ?

b Elle travaill<u>e</u>ra dans une entreprise ?

c Nous exerc<u>e</u>rons une profession médicale.

d Je f<u>e</u>rai des études dans la communication.

e Tu s<u>e</u>ras un bon professionnel ?

Exprimer un désir

> Je trouverai des médicaments pour soigner de nouvelles maladies. **>** J'aimerais être scientifique. (photo 5)

4 Imagine quelle profession chaque personne rêve de faire. Puis trouve les photos correspondantes.

a J'aurai une profession avec beaucoup de responsabilités et je voyagerai dans de nombreux pays. **>** J'……………………… ………………………… . (photo …)

b Je vendrai des millions de livres et je serai très célèbre. **>** J'……………………… ………………………… . (photo …)

c Je préparerai les ados à leur vie future et je leur apprendrai beaucoup de choses. **>** J'……………………………… . (photo …)

d Je serai très courageuse et je sauverai de nombreuses vies humaines. **>** J'…………………………………… ……………………… . (photo …)

1 **2** **3** **4** **5**

Quelques verbes irréguliers au futur simple

5 🎧 48 Écoute et écris les formes verbales au futur simple puis à l'infinitif.

a > tout le monde aura / avoir

b > ……………………………… / ………………………………

c > ……………………………… / ………………………………

d > ……………………………… / ………………………………

e > ……………………………… / ………………………………

6 Transforme les phrases au futur simple.

a Cette année, je ne peux pas aller au Salon de l'orientation !

> ……………………………………………………………………………………………

b Moi, je vais étudier en France pour améliorer mon français.

> ……………………………………………………………………………………………

c Cet été, vous faites un voyage linguistique dans un pays francophone ?

> ……………………………………………………………………………………………

d Il y a de nouvelles professions intéressantes au Salon des nouvelles technologies ?

> ……………………………………………………………………………………………

e Nous sommes très motivés pour apprendre une nouvelle langue étrangère !

> ……………………………………………………………………………………………

CULTURES

49 Écoute et associe les mots suivants à chaque artiste.

Passions	Études	Professions
le street-art > 1 Fanny Boimare **a** l'informatique > ...... **b** le dessin > ...... **c** la photographie > ...... **d** les graffitis > ...... **e** les robots > ...... **f** la montagne >	**g** la musique classique > ...... **h** le droit >	**i** photographe > ...... **j** créateur / créatrice de robots > ...... **k** graffeur / graffeuse > ......

 **1** Fanny Boimare, alias K2B

 **2** Nicolas Mansard

 **3** Jean-Noël Herranz

Écrire

↳ **Participe au concours.**

astuce

En 2050, j'aurai des enfants et ils iront au collège !

Terminaisons du **futur simple** = terminaisons du verbe *avoir* au présent :
j'ai, tu as, il/elle a, nous avons, vous avez, ils/elles ont

Autoévaluation

Parler de son orientation

1 🔊 50 ..... /4

Écoute et dis quelle filière choisira chaque ado.

a ___ les arts / ___ les lettres
b ___ le droit / ___ la santé
c ___ les arts / ___ les technologies
d ___ la communication / ___ les langues

Parler de ses passions et de ses qualités

2 ..... /4

Complète les phrases avec les mots suivants.

aise | courageux | créative | écoute | goût | imagination | public | patient

a Je ne suis pas timide et je n'ai pas de problème pour parler en .... : au contraire, je suis très à l'................ !

b Je suis .... et j'aime être à l'.................................... des autres, connaître leurs problèmes.

c J'ai le .... de l'aventure et je n'ai peur de rien. Je suis très .... !

d Je suis très ...., j'ai beaucoup d' .... et j'adore écrire et dessiner !

3 ..... /4

Associe chaque bulle de l'activité 2 à une des professions suivantes.

1  une dessinatrice de manga
> bulle ......

2  un pompier
> bulle ......

3  un acteur / une actrice
> bulle ......

4  un médecin
> bulle ......

65

Imaginer l'avenir

4 ...... /8

Lis cet article et écris les verbes entre parenthèses au futur simple.

> **A**vec les changements dans le monde du travail, de nouvelles professions
> .... (naître), comme par exemple :

> ▶ **L'imprimeur 3D** : il .... (réparer) ou ....
> (créer) de nouveaux objets, sur demande !

> ▶ **Le désorganisateur professionnel** : sa mission .... (être)
> de désorganiser une entreprise pour créer une atmosphère plus créative.

> ▶ **Le coach en découvertes** : avec lui, vous .... (pouvoir)
> devenir plus curieux et développer votre goût de la découverte.

> ▶ **Le médecin en désintoxication digitale** : nous .... (aller)
> voir ce médecin spécialisé pour guérir de notre addiction à Internet.

> ▶ **Le policier digital** : cette personne .... (faire) des enquêtes
> sur Internet quand nos ordinateurs .... (avoir) des virus !

Vérifie tes résultats p. 79. ...... /20

APPRENDRE À APPRENDRE

Entoure les rêves qui te correspondent et ajoute un autre rêve.

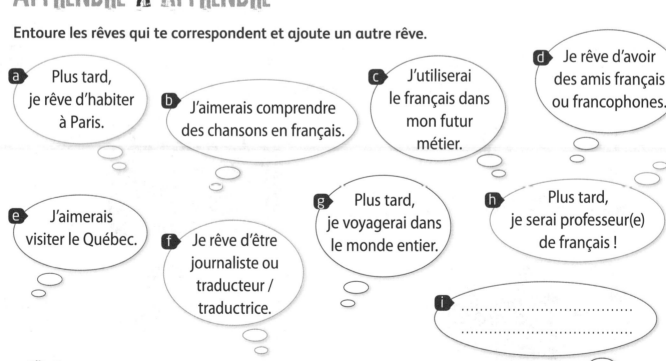

a Plus tard, je rêve d'habiter à Paris.

b J'aimerais comprendre des chansons en français.

c J'utiliserai le français dans mon futur métier.

d Je rêve d'avoir des amis français ou francophones.

e J'aimerais visiter le Québec.

f Je rêve d'être journaliste ou traducteur / traductrice.

g Plus tard, je voyagerai dans le monde entier.

h Plus tard, je serai professeur(e) de français !

i ....
....

Pour continuer à apprendre le français : trouve ta motivation !

Disciplines
non linguistiques

Mon cours de géographie

1 🔒 51 Écoute et place les institutions européennes sur le plan.

❶ Le Conseil de l'Europe **❷** Le Parlement européen **❸** Arte (Télévision européenne)

❹ Le Centre européen de la jeunesse **❺** Le Palais des droits de l'Homme

Le quartier européen de Strasbourg

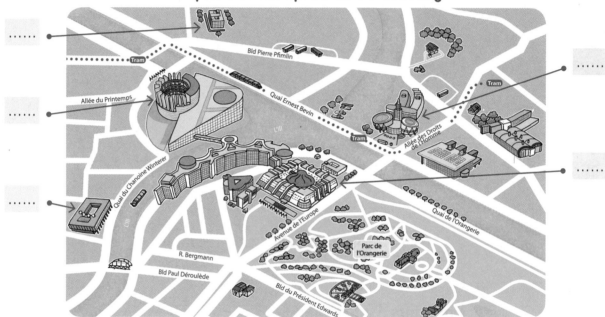

POUR ALLER PLUS LOIN

2 Lis et associe les images et les phrases.

❶ L'euro

❷ Le drapeau européen

❸ L'hymne européen

❹ La devise de l'Union européenne

Unie dans la diversité

9 mai – La Journée de l'Europe

fête l'EUROpe! *9 mai*

❺ La journée de l'Europe

..... **a** Il symbolise la solidarité et l'union entre les pays d'Europe. Ses douze étoiles sont aussi le symbole de l'harmonie.

..... **b** C'est une musique adaptée d'une symphonie très célèbre de Ludwig Van Beethoven. Elle évoque la paix, la liberté et la solidarité.

..... **c** Ce jour-là, en 1950, on présente les premières idées pour créer l'Union européenne.

..... **d** On ne l'utilise pas dans tous les pays de l'Union européenne. Il a un côté commun et un autre côté avec le symbole national de chaque pays.

..... **e** Cette phrase invite les Européens à vivre ensemble avec leurs différences.

Mon cours de maths

1 Lis le tableau et dessine les plateaux avec les ingrédients et la flèche de la balance, comme dans l'exemple.

1 litre
= 10 décilitres
= 100 centilitres
= 1 000 millilitres

1 kilogramme
= 1 000 grammes

a

b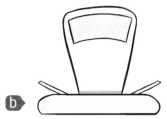

c

d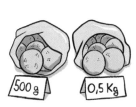

 POUR ALLER PLUS LOIN

2 Observe le tableau et le verre mesureur puis coche.

1 litre d'eau = 1 kilogramme d'eau
⚠ 1 litre d'eau ≠ 1 kilogramme de farine, de riz ou de sucre

	Vrai	Faux
a 1 litre d'eau = 950 grammes de riz	☐	☐
b 1 demi-litre d'eau = 500 grammes de farine	☐	☐
c 1 kilo de sucre = 1 kilogramme d'eau	☐	☐
d 500 grammes de riz = 650 millilitres d'eau	☐	☐
e 800 grammes de riz = 1 kilogramme de sucre	☐	☐

Mon cours d'enseignement civique et moral

1 La solidarité, qu'est-ce que c'est ? Choisis les bonnes attitudes.

Être généreux / généreuse

Participer à des actions avec et pour les autres

La solidarité, qu'est-ce que c'est ?

Aider les autres

Travailler seul(e)

Être jaloux / jalouse des autres

Partager avec les autres

Faire équipe

POUR ALLER PLUS LOIN

2 52 Être solidaire, c'est bien, mais comment ? Souligne la bonne attitude puis écoute pour vérifier.

En classe, mon camarade ne comprend pas. Je donne la réponse à mon camarade OU je l'aide à comprendre et à trouver la réponse tout seul ?

a

À la sortie du collège, je vois un ado de 16 ans prendre le téléphone d'un élève de ma classe. Je vais aider l'élève OU j'appelle un adulte ?

b

Pour travailler ou faire des choses ensemble, on doit être toujours d'accord OU on peut avoir des idées différentes ?

c

Quand j'ai des problèmes, je les partage avec les autres OU je les garde pour moi pour ne pas inquiéter mes copains ?

d

Mon cours d'informatique

1 Complète avec les mots suivants. Dans quelles situations es-tu connecté(e) ? Entoure les écrans.

un logiciel de traitement de texte

un site Internet

un moteur de recherche

un réseau social

a ....

b ....

c ....
....
....

d ....
....
....

2 Complète la grille avec les mots suivants.

POUR ALLER PLUS LOIN

TAPER   CLIQUER

ENREGISTRER   COPIER

COLLER   IMPRIMER

TELECHARGER

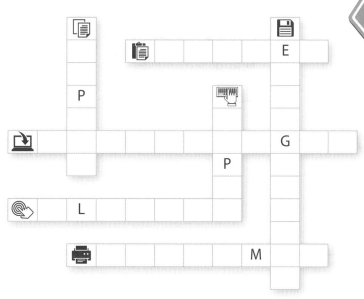

3 Complète avec les verbes de l'exercice **2**. Conjugue-les au présent.

a Thomas a fini de travailler sur un document. Il l' .... sur son ordinateur puis il l' .... sur papier.

b Marie achète de la musique en ligne et elle la .... sur son lecteur MP3 !

c Je .... mon pseudo et mon mot de passe pour entrer sur ce réseau social.

d Pour finir ton inscription sur le site, tu .... sur « accepter » !

e Pour notre devoir, on .... cette image et on la .... dans notre document ?

Mon cours d'histoire

1 Écoute et complète la frise chronologique. Puis associe les photos aux dates correspondantes.

Premières plaques photographiques instantanées

Premier film : *Sortie d'usine*

Première séance de cinéma

Premier photorama

Premières photographies en couleur

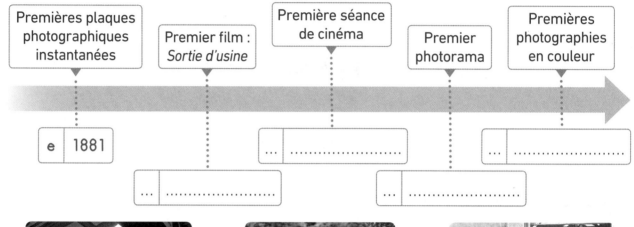

e | 1881

... .

... .

... .

... .

 a

 b

 c

 d

 e

POUR ALLER PLUS LOIN

2 Lis les phrases et complète avec les noms des inventeurs de ces trois véhicules.

Les frères Montgolfier ont réalisé le premier vol avec des êtres humains dans ce ballon à la fin du XVIIIᵉ siècle.

Paul Cornu a fait le premier vol dans ce véhicule à hélices au début du XXᵉ siècle.

Nicolas Joseph Cugnot a inventé la première voiture à la fin du XVIIIᵉ siècle, mais ce n'est pas encore une voiture personnelle.

 a

L'automobile, 1771
Inventeur(s) : ....

 b

La montgolfière, 1783
Inventeur(s) : ....

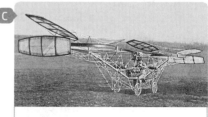 c

L'hélicoptère, 1907
Inventeur(s) : ....

Mon cours de SVT

1 Associe chaque être vivant à son espèce et à son écosystème.
Entoure les deux intrus.

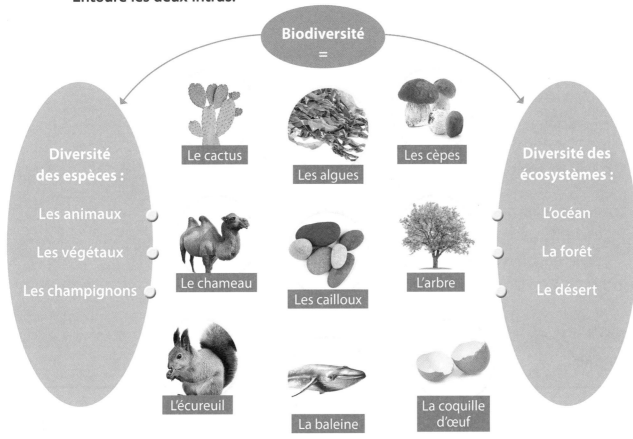

Biodiversité
=

Diversité
des espèces :

Les animaux

Les végétaux

Les champignons

Le cactus

Les algues

Les cèpes

Le chameau

Les cailloux

L'arbre

L'écureuil

La baleine

La coquille
d'œuf

Diversité des
écosystèmes :

L'océan

La forêt

Le désert

POUR ALLER PLUS LOIN

2 🎧 54 **Observe la chaîne alimentaire et écoute. Puis complète
le schéma avec les mots suivants.**

herbivores – producteurs – champignons – bactéries – carnivores –
consommateurs – décomposeurs – vers de terre

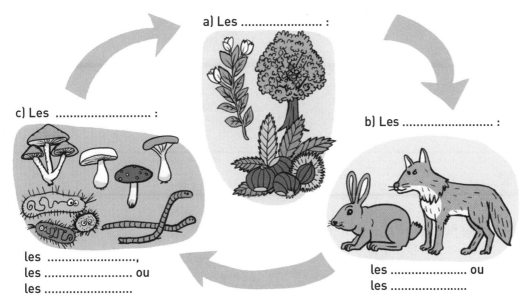

a) Les .... :

c) Les .... :

b) Les .... :

les ....,
les .... ou
les ....

les .... ou
les ....

Mon cours de géométrie

1 Observe et mesure les figures géométriques suivantes. Vrai ou faux ? Justifie.

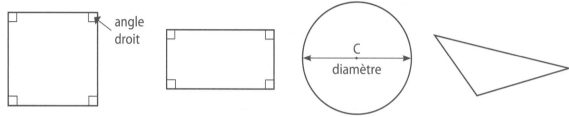

a Le rectangle a deux côtés de 1,2 centimètres. ....

b Le diamètre du cercle est de 3 centimètres. ....

c Tous les points du cercle sont à 3 centimètres du centre.

....

d Un des côtés du triangle mesure 2,7 centimètres. ....

e Le triangle a un angle droit. ....

f Deux des côtés du triangle sont égaux. ....

g Les côtés du rectangle sont tous égaux. ....

2 Observe le tableau et complète les opérations. Puis dessine les formes géométriques selon les indications données.

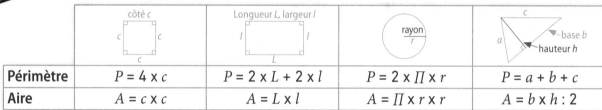

	côté c	Longueur L, largeur l	rayon r	base b, hauteur h
Périmètre	$P = 4 \times c$	$P = 2 \times L + 2 \times l$	$P = 2 \times \Pi \times r$	$P = a + b + c$
Aire	$A = c \times c$	$A = L \times l$	$A = \Pi \times r \times r$	$A = b \times h : 2$

a Un carré
P = 12 cm
> c = 12 : 4 = ... cm
> Dessin

b Un rectangle
A = 10 cm² ; L = 4 cm
> l = ... : 4 = ... cm
> Dessin

c Un cercle
P = 6,28 cm
> r = 6,28 : (.... × ....)
= ..... cm
> Dessin

d Un triangle
P = 8,9 cm ; a = 2,2 cm ;
b = 3,5 cm ; h = 2 cm
> c = 8,9 − (..... + ...)
= ..... cm
> Dessin

3 Relis les informations de l'activité 2 et calcule :

a L'aire du carré = ... x .... = ... cm²

b Le périmètre du rectangle = (..... x ......) + (..... x ......) = ... cm

c L'aire du disque = ... x .... x .... = ... cm²

d L'aire du triangle = $\dfrac{.......... \times ....}{2}$ = ... cm²

Mon option « découverte professionnelle »

1 Qui fait quoi et où ? Relie les métiers à leurs créations ou réalisations et à leur lieu de travail.

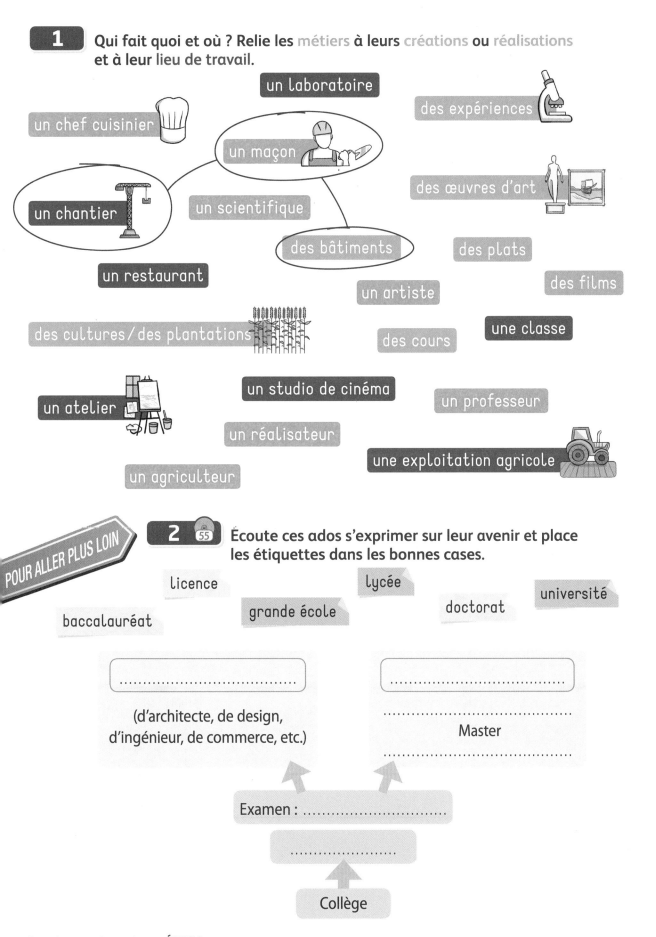

un laboratoire

des expériences

un chef cuisinier

un maçon

un chantier

un scientifique

des œuvres d'art

des bâtiments

un restaurant

des plats

des films

un artiste

des cultures / des plantations

des cours

une classe

un atelier

un studio de cinéma

un professeur

un réalisateur

une exploitation agricole

un agriculteur

POUR ALLER PLUS LOIN

2 🔊 55 Écoute ces ados s'exprimer sur leur avenir et place les étiquettes dans les bonnes cases.

licence

lycée

université

baccalauréat

grande école

doctorat

....

....

(d'architecte, de design, d'ingénieur, de commerce, etc.)

....

Master

....

Examen : ....

....

Collège

Corrigés des autoévaluations

Étape 1

1 a à vélo – b le bus – c en voiture

2 a 3 : Je ne marche pas sur la piste cyclable : elle est pour les vélos ! – b 4 : Je fais attention pour traverser la voie de tramway : je regarde à gauche, puis à droite ! – c 2 : Au feu rouge : on s'arrête ! – d 1 : À trottinette, je circule sur le trottoir !

3 a Faux : ils participent à un concours de tags. – b Vrai. – c Faux : elle circule en bus et à pied. – d Vrai. – e Faux : elle tourne à gauche dans la rue de la Concorde. – f Vrai.

4 a loin de – b près de / derrière le – c entre – d à droite de

5 a veux – b veut, envie – c voulez, idée

....

Étape 2

1 a 2 / Deux fois par jour – b 1 / Une fois par jour – c 4 / Une fois par semaine – d 3 / À chaque repas

2 Pour ton anniversaire, j'apporte une tablette de chocolat au lait, ok ? – Oh non, je préfère le chocolat noir ! – Ok, et une bouteille de jus d'orange ? – Non ! Apporte du jus de pomme ! – Ok ! J'apporte aussi un paquet de bonbons ? – D'accord mais des bonbons aux fruits !

3 a Nous partageons / mangeons une tablette de / du chocolat.
b Nous partageons / mangeons un morceau de / du gâteau (au chocolat).
c On range la maison.

4 a Tu manges combien de produits laitiers par jour ? > 3 Je mange souvent un yaourt le matin. – b Tu bois beaucoup de sodas ? > 1 Non, je ne bois jamais de boissons sucrées. – c Il y a un peu de matières grasses dans cette salade ? > 2 Oui, il y a un peu d'huile.

5 1 d – 2 b – 3 a – 4 c

....

Étape 3

1 a joyeuse – b curieux – c jaloux – d rigolote

2 a honte – b triste – c peur – d envie – e besoin – f en colère

3 a la – b les – c l' – d le – e les

4 a 3 / 4 – b 1 / 2 / 5 / 6 – c 2 / 3 / 4 – d 1 / 5

5 a Aujourd'hui, je finis à 15 heures. – b Mathias est malade mais il guérit vite. – c Vous choisissez une association de solidarité ? – d Le médecin soigne les malades et ils guérissent.

....

Étape 4

1 1 c – 2 e – 3 a – 4 b – 5 d

2 Un élève a été témoin d'un vol au collège ! Il a vu deux hommes entrer dans la salle d'informatique et prendre un ordinateur. Il a eu l'idée de faire une photo d'eux avec son téléphone et il a réussi à fermer la porte de la salle derrière eux. Mais les deux hommes ont pris une chaise et ils ont cassé une fenêtre pour sortir. Le directeur a pu les arrêter dans la cour. Nous avons interrogé l'élève et il a expliqué : « J'ai lu une histoire comme ça dans un livre alors j'ai fait la même chose ! »

3 **b** Non, elles n'ont pas aidé leur ami ! C'est dingue/fou/incroyable ! – **c** Oui, ils ont vu leur chanteur préféré ! C'est dingue/fou/incroyable ! – **d** Oui, j'ai lu l'article ! C'est dingue/fou/incroyable ! – **e** Oui, Émilie a fait une drôle de rencontre ! C'est dingue/fou/incroyable !

4 **b** Quand surfez-vous sur le Net ? – **c** Que lisez-vous dans les journaux ? – **d** Comment fais-tu tes devoirs ?

5 **b** Ne surfez pas sur le Net la nuit ! – **c** Ne lisez pas seulement des faits divers ! – **d** Ne fais pas tes devoirs devant la télé !

....

Étape 5

1 **a** 1997 – **b** 7 000 000 – **c** 2050 – **d** 960 000 – **e** 1789 – **f** 25 002

2 **a** quelqu'un – **b** personne – **c** rien – **d** quelque chose

3 **a** a vu – **b** s'est promenée – **c** sont nées – **d** j'ai rencontré – **e** sont devenus / devenues – **f** sommes rentrés

4 **a** Victor n'a pas encore vu le spectacle. – **b** Anna n'a jamais/pas encore vécu cette expérience. – **c** Jasmine et Antoine ont déjà parlé en public.

5 c – f – e – g – d – a – b

....

Étape 6

1 a – b – d – e

2 a 4 – b 2 – c 1 – d 3

3 **a** On doit utiliser des énergies renouvelables. – **b** Il ne faut pas détruire le lieu de vie des animaux en voie de disparition. – **c** Tu ne dois pas jeter tes déchets dans la nature. – **d** Il faut respecter les animaux et les végétaux.

4 **a** phrase 2 – **b** phrase 6 – **c** phrase 9 – **d** phrase 10

5 **a** À la cantine, les élèves doivent trier leurs déchets. – **b** On est en train d'installer des mangeoires pour les oiseaux dans la cour. – **c** On met dans ma classe des affiches avec des conseils écologiques. – **d** Nous pouvons recycler les bouteilles en plastique, si nous les récupérons à la cantine.

....

Étape 7

1 a échanger de l'argent – b dépenser de l'argent – c recevoir de l'argent – d économiser de l'argent

2 a C'est un vieux téléphone ! – b J'ai fait un gros achat ! – c Jean aime les objets connectés. – d Il y a un nouveau magazine gratuit.

3 a Ça sert à prendre des photos. Ça sert à filmer et à écouter de la musique. – b Ça sert à mettre de l'argent. Ça sert à garder nos économies. – c Ça sert à mettre son porte-monnaie. Ça sert à porter des affaires.

4 a 3 – b 1 – c 4 – d 2

5 a Vrai – b Faux (La montre de Pauline est moins grosse que celle de Joseph. / La montre de Joseph est plus grosse que celle de Pauline.) – c Faux (La montre de Pauline a moins de fonctions que la montre de Joseph. / La montre de Joseph a plus de fonctions que la montre de Pauline.) – d Vrai

Étape 8

1 a les arts – b la santé – c les technologies – d la communication

2 a public, aise – b patient, écoute – c goût, courageux – d créative, imagination

3 1 bulle d – 2 bulle c – 3 bulle a – 4 bulle b

4 naîtront – réparera, créera – sera – pourrez – irons – fera, auront

Achevé d'imprimer en Italie par L.E.G.O. S.p.A. Plant Lavis

Dépôt légal : novembre 2018 - Collection n°60 - Édition 07

19/1670/9